Le 27 août 88,

Cadeau de Monique.

Anna et Mister God

Fynn

Anna et Mister God

AVANT-PROPOS DE
VERNON SPROXTON
TRADUIT DE L'ANGLAIS
PAR LUC DE GOUSTINE
ILLUSTRATIONS
DE PAPAS

Seuil

27, RUE JACOB, PARIS VIe

ISBN 2-02-004370-X
(édition originale : ISBN 0-00-211519-2
Williams Collins, Sons and Co Ltd, Londres)

Titre original : Mister God, this is Anna
William Collins, Sons and Co Ltd, Londres, 1974

AVANT-PROPOS

Il y a de bons livres, des livres quelconques, et de mauvais livres. Parmi les bons, il y en a d'honnêtes, d'inspirants, d'émouvants, de prophétiques, d'édifiants. Mais, dans mon langage, il y a une autre catégorie, celle des livres-ha ! *Celui-ci en est un. Les* livres-ha ! *sont ceux qui déterminent, dans la conscience du lecteur, un changement profond. Ils dilatent sa sensibilité d'une manière telle qu'il se met à regarder les objets les plus familiers, comme s'il les observait pour la première fois. Les* livres-ha ! *galvanisent. Ils atteignent le centre nerveux de l'être, et le lecteur en reçoit un choc presque physique. Un frisson d'excitation le parcourt de la tête aux pieds.*

Les livres-ha ! *ne courent pas les rues, du moins celles que je fréquente. La* Psychologie de l'art *d'André Malraux en était un. Il parut juste après la guerre*[1]*. Il était trop cher pour moi, mais j'en trouvai un exemplaire à la* Manchester Art Gallery, *et je dus faire plusieurs trajets en vélomoteur, dans la neige et le grésil, pour le lire jusqu'au bout. De temps à autre, j'aurais voulu monter sur la table, et en proclamer les vérités, ou taper dans le dos de mon voisin et lui dire : « Tenez, mon vieux. Prenez un peu ça, et vous verrez... » J'allais le faire pour de bon quand je m'aperçus qu'il lisait un texte sur la structure des plastiques. Entre-temps, j'ai appris que certains tirent une joie esthétique aussi pure de l'examen de la formule d'une chaîne moléculaire, que d'autres de la contemplation d'une fresque de Piero Della Francesca. Les technologues aussi ont leurs* Ha !

Les livres-ha ! *donnent des formules que l'on peut rouler dans son esprit, lancer en l'air, rattraper, taquiner, tournicoter, analyser. Et quoi qu'on en fasse, elles dilatent l'esprit. Car elles sont génératrices d'idées, dans le sens où Coleridge considérait*

1. En 1947-1949. Refondu en 1951 sous le titre *les Voix du silence.* (NdT.)

l'Idée comme riche de pensée à venir, par opposition à l'épigramme qui se referme sur la pensée passée. Les livres-ha ! *donnent l'impression que l'on ouvre un nouveau compte, et non pas que l'on procède à la clôture de l'ancien.*

C'est ainsi que, pour moi au moins, ceci est un livre-ha !, *et le fut dès que j'eus connaissance du manuscrit. « La différence qu'il y a entre un ange et une personne ? Facile. Un ange, c'est presque tout en dedans, une personne, presque tout en dehors. » Quelques secondes de réflexion, et mon esprit se déclencha. Je me souvins du poète Norman Nicholson, jeune homme, au milieu d'une partie de cricket, initié de fraîche date à T. S. Eliot et à l'usage du langage courant en poésie, psalmodiant entre les balles : « Un jeune escarbouclé s'avance... avec autant d'aisance qu'un millionnaire tout neuf sous une toque de soie. » Cette phrase-là donnait un tour nouveau au langage. Celle-ci un tour nouveau à la sainteté.*

*C'est le renouvellement du langage religieux qui me frappa le plus vivement quand j'eus le manuscrit entre les mains ; encore que ce fût loin d'être un manuscrit tel que l'entendent les éditeurs. Quelques pages, transmises avec hésitation et sous anonymat par un ami de l'auteur, qui souhaitait demeurer humblement en retrait. Mais ces feuilles suffirent pour me démontrer que ledit auteur — quoique loin d'être un écrivain accompli — avait un excellent coup d'œil sur la comédie humaine, de la bienveillance pour ses contemporains, et surtout que c'était un esprit d'une puissante originalité, qui semblait s'être échappé, ou avoir été exempté, du conditionnement intellectuel commun à ceux qui, d'ordinaire, écrivent sur ces sujets. Je lus et relus ces premières pages jusqu'à être obsédé par Fynn et Anna comme par une énigme de la littérature. Je tentai un portrait-robot de l'auteur et de sa formation. C'était un homme dont la réflexion échappait aux catégories, un prêtre de culture scientifique, ou un scientifique initié à la théologie ; en tout cas, quelqu'un qui cherchait à faire passer un message et jugeait les formes discursives inaptes à véhiculer sa pensée ; le créateur d'un nouveau mini-mythe : au lieu d'*Alice au pays des merveilles, Anna à l'East End. *Quoi qu'il en fût, ces quelques pages bizarres me mirent en appétit. Je retenais mal mon impatience en attendant les chapitres suivants qui me parvenaient au compte-gouttes, et je commençai à me sentir comme le jeune T. B. Macaulay* [1]

1. Historien britannique, 1800-1859. (NdT.)

allant, de Cambridge, au-devant de la diligence de Londres qui apportait la livraison suivante des Waverly Novels[1]. *(Au grand dam de son père, qui considérait que le roman n'était pas une occupation convenable pour un homme d'étude, et pour un gentleman !) Je sentis croître ma curiosité à l'égard de l'auteur. Une rencontre, au moins, confirmerait mes hypothèses.*

Nous nous rencontrâmes. Et je m'étais trompé, presque entièrement. Fynn ne dissimule personne d'autre que Fynn. Au moment où j'écris ces lignes, il y a bien deux ans que je le connais. Mais d'un autre point de vue, je le connais depuis toujours. Car il y a en lui quelque chose de vulnérable, une transparence, qui le met en communion immédiate et totale avec quiconque est disposé à jeter ses préjugés par-dessus bord et à célébrer joyeusement l'impressionnant mystère de la vie. Mais toutes mes spéculations quant à l'homme de science ou au théologien, résolvant par la fiction ses problèmes de communication, étaient vaines. Fynn, Dieu merci, n'était l'homme d'aucune spécialité. Pétillant d'intelligence et doué d'un appétit de savoir gargantuesque, il reçut très tôt le conseil (que l'âme du conseiller repose en paix !) d'éviter université et autres institutions vouées au commerce de la pensée toute faite. Si bien que sa formation intellectuelle se déroula loin des collèges, campus et ponts d'embarquement pour régates universitaires, — dans les ruelles, échoppes, et le long des canaux de l'East End. Mais avec son modeste métier et son arsenal de bricoleur, il mit au monde des pensées auxquelles peu d'agrégés ont jamais eu accès. En cas de doute, veuillez feuilleter les listes de thèses dans une bibliothèque académique : Quatre méthodes pour laver une tasse, La vie sociale de la baleine blanche, Des propriétés absorbantes du géranium rose. *Sans mépriser baleines, tasses ou géraniums, il est permis d'affirmer que Fynn a produit des œuvres qualitativement différentes de la pensée universitaire, œuvres qu'il n'aurait certes pas pu produire si, pendant ces années déterminantes, il avait dû assister deux fois par semaine à des séminaires sur le positivisme logique qui montrait alors la pointe de son joli bec de rapace.*

Fynn est grand, extrêmement fort, et large non seulement d'épaules mais de pensée. Son intelligence virile, aventureuse, faite d'un alliage de crédulité et de scepticisme est toujours prête à quitter le terrain rebattu pour la terre vierge. D'un autre côté,

1. Roman de Walter Scott, 1814. (NdT.)

il est aussi doué d'une sorte de tendresse et de sensibilité qui sont quasiment féminines. Je me souviens qu'un soir, nous discutions ensemble de ses premières expériences avec des miroirs et du Meccano. (Maintenant, il utilise des ordinateurs qu'il fabrique avec du matériel de récupération.) Et il se mit à parler de gens inadaptés ou qui étaient mal tombés dans l'existence et avec qui il avait travaillé pendant des années. Il montrait une telle compréhension, un tel respect, qu'il fallait bien appeler cela de l'amour. En le regardant et l'écoutant, je me mis à chercher quel personnage historique il évoquait pour moi. Qui avait reçu tout aussi peu d'éducation formelle? Chez qui les traits féminins et virils mélangés produisaient-ils une immense créativité? Enfin, à mesure que passait la nuit et que, fraternellement, nos débats se poursuivaient, le nom me vint aux lèvres. C'était Léonard de Vinci.

Fynn avait souffert. Physiquement, mentalement, affectivement. Mais il avait aussi souffert spirituellement de la solitude totale, de l'isolement, de l'abandon où se trouve un être, même au milieu de ses amis, et que les hommes du Moyen Age décrivaient justement comme la « nuit de l'âme ». Fynn est encore partiellement handicapé par une lésion psycho-somatique. Mais il est en train de larguer ses béquilles avec audace, insolence, s'appuyant plutôt sur ses robustes facultés, et sur la grâce aimante de sa jeune épouse. Et tout cela fait de Fynn un personnage qui donne l'impression, malgré les tempêtes essuyées, d'avoir les deux pieds solidement plantés sur terre.

Fynn est donc l'auteur de ce livre. Il est tel qu'il était, tel qu'il est. Il a une adresse, un numéro de téléphone. Il ne fait semblant d'être personne d'autre que lui. Mais en lui, il y a quelqu'un, et c'est Anna.

Disons-le clairement, je n'avais pas besoin de preuves pour savoir que c'était bien l'East End qui avait élevé et formé Fynn. Il y avait trente ans que je connaissais l'East End, et les pochades qu'il brossait de cette vie multiple, exubérante, et presque voluptueuse, étaient toutes crachées. Ce délectable jargon cockney, la Vénus de Mile End au grand cœur, les gens de la nuit, j'en avais connu et aimé des centaines de ce genre.

Mais Anna... Elle était d'autre sorte et me posait une énigme, pas tant par son étonnante précocité, mais il me fallait des éléments sur elle, à cause de son originalité. D'abord, j'avais du mal à croire que quiconque eût pu, à son âge, être encore si peu touché par l'éducation rigide que l'on dispensait à l'époque, et que sa précocité s'exprimât par des défis aussi radicaux aux idées reçues et habitudes acquises. Et aussi que sa philosophie naissante allât droit au cœur de certains problèmes spirituels et ontologiques qui sont particulièrement contemporains. Et puis, je m'interrogeais sur l'intimité des relations physiques entre Fynn et Anna, qui, même en cette époque permissive, ne manquerait pas de choquer les dames bien-pensantes qui ont des amies au Bureau national de la ligue de l'enfance.

Mais ces problèmes commencèrent à se résoudre dès que je rencontrai Fynn. Il possède une qualité qui n'est ni d'un sexe ni de l'autre : je ne trouve pour la décrire que le mot d'innocence. Sans doute est-il atteint par la faute originelle... et par tout « ce qui pèse sur notre faible chair [1] *». Il ne fait certes pas partie des saintes nitouches. Mais il y a, en lui, des traces de l'innocence ouverte, lucide, délurée que devait avoir l'homme avant la Chute, et qui devrait permettre à un jeune homme et à une fillette de coucher dans le même lit d'une façon innocente (et revoilà le mot) de toute sexualité. De fait, la simple honnêteté de leurs relations me rappela la pratique des* sub-introductae, *ces vierges qui couchaient avec les premiers pères chrétiens sans avoir de rapports avec eux, coutume qu'il fallut abandonner au* IVe *siècle parce que Cyprien et d'autres craignaient les SCANDALES, et dont Charles Williams écrit* [2] *: « Ce fut un des premiers triomphes des " frères les plus faibles ", ces agneaux innocents qui, par le seul entraînement de leur imbécillité, ont piétiné tant d'admirables et de charmantes fleurs du christianisme. C'est ainsi que se perdit, si tôt, une tradition qui laissa dans l'Eglise une obsession exagérée du sexe, alors qu'elle aurait pu créer d'autres polarités que le sexe ne recouvre que partiellement. »*

Les autres problèmes de crédibilité s'évanouirent quand je me rendis compte que Fynn se nourrissait de dialectique. Non seulement il a un grand appétit de dialogue, mais il donne l'impression d'être en tension perpétuelle avec les phénomènes de son temps. Il a une énergie intellectuelle immense. On dirait que son cerveau, à chaque instant, analyse des données — pas seulement numériques — et qu'il ne cesse de concevoir et d'imprimer de nouvelles formules relationnelles.

Et c'est dans ce champ d'activité dialectique que, par hasard,

1. Monologue de Hamlet, acte III, scène I. (NdT.)
2. *The Descent of the Dove* (Londres 1939-1950), p. 13.

tomba Anna. De cette altitude, elle vit soudain le monde avec d'autres yeux que les enfants normaux et refusa les œillères que l'institutrice autant que le curé lui tendaient dans leur langage pré-conditionné. Si Fynn avait besoin d'Anna, Anna aussi, et tout autant, avait besoin de Fynn. Il est évident que les problèmes auxquels ils s'attaquèrent ensemble étaient ceux qui obsédaient Fynn. D'où il s'ensuit que ces problèmes, qui l'occupèrent jusqu'à ce jour, sont naturellement devenus les nôtres. En d'autres termes, c'est la dialectique qui donna corps à l'histoire d'Anna. Une comparaison avec l'histoire du Christ jette un peu de lumière sur la question.

Les trois premiers évangiles représentent les paroles et les actes de Jésus que la première Eglise trouva utile et nécessaire de revivre, enseigner et expliquer. Avec le temps, l'usage créa la forme. *Ainsi Fynn, méditant sans cesse et récapitulant sa vie passée avec Anna et la mettant en rapport avec l'évolution de sa pensée,* forma *l'histoire d'Anna et lui donna son sens. De même que le quatrième Evangile est une œuvre théologique où, sans doute, une seule parole de Jésus (comme « Je suis le pain de vie ») est développée en mettant des mots dans la bouche du Christ, de même, il me semble que Fynn a pris une Idée qu'Anna a exprimée de façon lapidaire et, en trouvant le sens, l'a développée, si bien que les petites têtes d'ourson comme moi*[1]*, en la recevant, ne peuvent se retenir de pousser leur* Ha !

Pourtant, certains lecteurs resteront incrédules. « Est-ce vrai ? » demanderont-ils. Quant à moi, je pense que c'est vrai. Mais je connais Fynn. J'ai vu les documents dans sa valise : les notes, les dessins, les expériences, la musique. Mais, en un sens, les reliques n'ont pas force de preuve, non plus que le mythe du Jardin d'Eden ne gagnerait en véracité si l'on découvrait des empreintes de dents sur une pomme fossile !

Qu'est-ce que la Vérité ? Pilate posa la question, et s'abstint sagement d'y répondre, sachant sans doute que toute vérité politique est mélangée. Mais Sören Kierkegaard hasarda une réponse que beaucoup ont, en gros, estimée pertinente, pour mesurer la vérité de ce qui échappe à l'examen de laboratoire. La vérité, *écrit-il,* est ce qui anoblit. *En d'autres mots, c'est ce qui rend meilleur. Finalement, c'est à ce niveau que se situe la vérité de Anna et Mister God. Cette histoire anoblit, dilate la sensibilité, touche le cœur. Et cela, d'une façon qui défie la*

1. Des aventures de *Winnie-the-Pooh,* l'ourson de A.A. Milne. (NdT.)

logique. Il n'y a pas de mots pour formuler le charme qu'elle exerce. Mais, comme l'écrit Soljénitsyne dans son discours de prix Nobel : « On ne peut donner un nom à toutes choses, car certaines choses nous entraînent bien au-delà des mots... Comme cette petite glace des contes de fées dans laquelle on ne se voit pas soi-même, mais où, pendant une brève seconde, on voit l'inaccessible, où aucun homme ne peut aller, ni avec ses jambes, ni avec ses ailes. Et l'âme seule exhale sa plainte[1]*... »*

Ce livre a également cette vertu magique. Fynn et Anna, grâce à leur livre-miroir et tous leurs petits appareils, nous permettent de jeter un coup d'œil à l'Inaccessible. Auraient-ils pour cela reçu le prix Nobel de littérature ? Pourtant, ils me rendent fier d'appartenir à l'espèce humaine. Et surtout, ils font entrer le Ha ! *de l'émerveillement dans ce grand mélange de misère et de splendeur qui fait le mystère de notre vie terrestre.*

Vernon Sproxton.

1. Soljénitsyne, « Discours de Stockholm », in *les Droits de l'écrivain*, « Coll. Points », Paris, éd. du Seuil, 1972. (NdT.)

Chapitre un

« La différence qu'il y a entre un ange et une personne ? Facile. Un ange, c'est presque tout en dedans, une personne, presque tout en dehors. » Ainsi parlait, à six ans, Anna, également connue sous les noms de Pompom', Souris, ou La Joie.

A cinq ans, Anna connaissait parfaitement le but de l'existence, la signification de l'amour, et elle était l'amie intime et le bras droit de Mister God.

A six ans, elle était théologien, mathématicien, philosophe, poète et jardinier. Quand on lui posait une question, la réponse venait toujours, en temps utile. Parfois, il fallait patienter des semaines ou des mois, mais alors, à son rythme et en son temps, la réponse venait, simple, directe, et parfaitement à propos.

Ses huit ans, elle ne les eut jamais. Un accident l'emporta. Son visage souriait. Elle mourut en disant : « J'parie qu'Mister God m'laissera entrer au Ciel à cause de ça. » Je parie qu'il l'a fait.

Il y avait trois ans et demi que j'avais rencontré Anna. J'en connais qui s'illustrent en naviguant autour du monde en solitaire, en marchant sur la lune, ou par quelqu'autre exploit. Tout le monde connaît leur nom. Mais de moi, personne n'a entendu parler, et pourtant, je devrais être célèbre : J'ai connu Anna. Cette aventure-là, c'était une grande première. Je ne l'ai pas connue vaguement, comme ci comme ça. La connaître exigeait un engagement total. Car je l'ai connue dans sa propre lumière, comme elle demandait à l'être : du dedans. « Un ange, c'est presque tout en dedans. » C'est ainsi que je me suis appliqué à connaître Anna, mon premier ange.

Je m'appelle Fynn. Enfin, ce n'est pas mon vrai nom, mais quelle importance ? Tous les amis m'appellent Fynn, ça m'est resté. Fynn est un personnage de la mythologie irlandaise. Un géant. Quant à moi, je mesure un mètre quatre-vingt-cinq. Je pèse cent-deux kilos. J'adore la gymnastique. Ma mère est irlandaise, mon père gallois. J'ai un faible pour les hot dogs et le chocolat aux raisins, dégustés séparément, bien sûr. Mon passe-temps favori ? Me balader dans le quartier des docks, la nuit, par temps de brouillard.

Ma vie avec Anna commença un de ces soirs-là. J'avais dix-neuf ans. J'arpentais les rues et les venelles, armé, comme d'habitude, de ma ration de saucisses. Les réverbères ouvraient dans la brume des halos, des silhouettes bizarres sortaient de l'ombre pour y retourner. Un peu plus bas, la vitrine d'un boulanger adoucissait l'âpreté de la nuit et la réchauffait sous ses becs de gaz. Sur la grille du soupirail, une petite fille. Rien d'inhabituel, en ce temps-là, à voir des enfants courir les rues le soir. Mais là, c'était autre chose. Pourquoi, je n'en sais plus rien, mais c'était autre chose. Je m'assis à côté d'elle, sur la grille, et m'adossai à la façade de la boutique. Je passai trois heures ainsi. Avec trente ans de recul, ces trois heures ne me gênent plus trop. Mais à l'époque, j'ai cru y rester. Cette nuit de novembre était infernale : j'avais les tripes nouées dans tous les sens. Etait-ce déjà sa nature angélique qui me jouait des tours ? Je ne suis pas loin de croire que, dès le début, elle m'a jeté un charme.

En m'asseyant, je dis : « Pousse-toi, môme. » Elle se poussa sans répliquer. J'ajoutai : « Tiens, un hot dog. »

Elle secoua la tête.

« C'est à toi. »

« J'en ai plein. Et puis, j'ai plus faim. »

Comme elle ne bougeait pas, je posai le sachet entre nous sur la grille. La lumière de la vitrine n'était pas très forte, la gosse était dans l'ombre et je ne discernais pas son visage. Mais je voyais qu'elle était crasseuse, qu'elle serrait sous son bras une poupée de chiffon, et contre sa poitrine une vieille boîte à couleurs cabossée.

La demi-heure suivante s'écoula dans un silence complet. Je crus sentir sa main glisser vers le hot dog, mais je me retins de tourner la tête ou de parler, pour ne pas l'effaroucher. Je me souviens encore du plaisir que j'ai eu à entendre la peau tendue de la saucisse crever sous son coup de dent. Une minute après, elle prit une seconde bouchée, puis une troisième. J'extirpai de ma poche un paquet de *Woodbines*.

« Ça ne te gêne pas que je fume pendant que tu manges, môme ? »

« Quoi ? » Sa voix était tout inquiète.

« Je peux fumer un " clop " ? »

Elle roula sur elle-même, se mit à genoux et me dévisagea.

« Mais pourquoi... ? » demanda-t-elle.

« J'ai une vieille très à cheval sur les manières. Et vrai qu'on ne souffle pas la fumée dans la figure d'une dame pendant qu'elle mange. »

Un instant, elle contempla sa saucisse entamée, puis elle me regarda bien en face et demanda : « Pourquoi ? Tu m'aimes bien ? » Je hochai la tête. « Alors fume ton clop. » Et elle me sourit en enfournant dans sa bouche le reste de sa saucisse.

Je sortis une cigarette, l'allumai, et lui tendis la flamme de l'allumette à souffler. Elle gonfla ses joues, et je reçus une grêle de bouts de saucisse. Ce petit malheur eut sur elle un effet si violent que j'en eus le souffle coupé. Un chien recroquevillé, la queue entre les jambes, attendant la râclée. Jamais un enfant n'avait eu devant moi cette peur panique, ces yeux béants d'angoisse. Elle attendait, dents serrées, que je lui cogne dessus.

Mes traits exprimaient-ils la fureur, la surprise, ou la confusion, je ne sais, mais voici qu'elle se mit à geindre, une espèce de plainte, un couinement si piteux, si misérable, que je n'ai pas de mots pour le décrire. Je n'en ai retenu qu'une impression, celle que mon cœur s'arrêtait et qu'à l'intérieur de moi, tout se défaisait. Mon poing serré s'abattit sur le pavé, ce qui n'était pas fait pour remettre Anna de sa frayeur. Ai-je alors fait le lien entre cette vision et l'image qui s'impose à moi aujourd'hui ? Désemparé d'horreur devant la violence : le Crucifié. La terrible plainte de l'enfant était plus que je ne pouvais supporter. Je ne voudrais plus jamais l'entendre.

Mais on ne supporte pas longtemps une telle tension dans l'angoisse. Les plombs sautent. C'est ce qui se passa pour moi : mes plombs sautèrent, et je me mis à rire, à rire, jusqu'à m'apercevoir que la gosse, elle aussi, riait. Le petit ballot craintif s'était dénoué — elle riait comme une folle, à genoux sur le trottoir, sa tête venant toucher la mienne — elle riait de ce rire si souvent entendu les trois années suivantes — ni carillon de cristal, ni cascade poétique, mais hurlement de joie d'une môme de cinq ans, un jappement, une pétarade, un pouffement sans fin.

Je posai mes mains sur ses épaules et, la maintenant à bout de bras, je découvris qui était Anna : bouche grande ouverte, yeux immenses, comme un chien courant impatient

de sa laisse. Chaque fibre de son petit corps vibrait sur une note claire. Des bras aux jambes, de la tête aux pieds, son petit être tremblait et trépidait comme le fait notre Mère la Terre quand elle donne le jour à un volcan. Et quel volcan était à l'œuvre dans cette enfant !

Devant cette boulangerie, dans le quartier des docks, une nuit brumeuse de novembre, j'assistai à une chose peu commune, à la naissance d'un enfant. Quand le rire se fut un peu calmé — mais son corps bourdonnait encore comme une corde de violon — elle essaya de dire quelque chose, qui n'arrivait pas à sortir :

« Tu... tu... tu... »

Enfin, après un grand effort, elle enchaîna : « Tu m'aimes, hein ? »

Même si ce n'avait pas été vrai, je n'aurais pas su dire « non ». Vrai ou faux, juste ou pas, il n'y avait qu'une réponse : « Oui. »

Elle eut un gloussement et, me montrant du doigt, elle dit : « Tu m'aimes. » Et elle se mit à tourner autour du réverbère en chantonnant : « Tu m'aimes, tu m'aimes, tu m'aimes ! »

Après cinq minutes de ce manège, elle revint s'asseoir sur la grille. « Ça tient chaud au panpan, hein ? » dit-elle.

Je lui confirmai que cela tenait chaud au panpan.

Un instant plus tard : « J'ai vachement soif ! Nous nous mîmes donc en route vers le pub du coin. J'achetai une grande canette de *Guinness*. Elle voulait une de ces limonades qui ont une bille dans le goulot. Elle emporta donc deux limonades, et des hot dogs que nous allâmes prendre au kiosque à café qui reste ouvert la nuit.

« Si on retournait se chauffer le panpan ? » dit-elle en me souriant. Et nous voilà revenus à la grille, assis l'un près de l'autre, la petite et le grand.

Nous n'avons pas dû boire plus de la moitié des bouteilles, car les boissons gazeuses, c'est épatant : on les secoue avec vigueur, puis on les fait partir en l'air comme des jets d'eau. Après plusieurs douches de limonade, elle dit : « Maintenant. avec la tienne. »

Je pris cela sur-le-champ pour un ordre. D'ailleurs, c'en était un. Je secouai fort et longtemps, puis je laissai exploser le tout, bouchon compris, et nous nous retrouvâmes écumant de *Guinness*.

L'heure suivante se passa en fous rires, hot dogs, limonade et chocolats aux raisins. On hélait le passant, quand il en venait un : « Hé, M'sieu, il m'aime, c'est vrai ! » Elle escaladait les marches d'une maison voisine en criant : « Regarde ! Je suis plus grande que toi. »

Vers dix heures et demie, alors qu'elle s'était assise entre mes genoux et qu'elle s'entretenait gravement avec Maggie, sa poupée de chiffon, je dis :

« Bon, Pitchoun, c'est l'heure d'aller se coucher. Où habites-tu ? »

Sa voix se fit froide, concrète :

« J'habite nulle part. Je m'suis taillée. »

« Et ta maman, ton papa ? »

Sur ce ton d'évidence — l'herbe est verte, le ciel est bleu — elle répondit sans gêne ni passion : « Elle, c'est une vache, et lui, c'est un cochon. Et moi, j'irai pas chez les flics. Je vais habiter chez toi. »

Un ordre est un ordre. Que pouvais-je faire ? Prendre acte. « D'accord. Tu viens avec moi, et ensuite on verra. »

C'est là que commença mon éducation. J'avais une grande poupée, mais vivante et, autant que j'en puisse juger, une vraie petite bombe.

En rentrant, ce soir-là, j'avais l'impression de revenir de la foire de Hampstead Heath, légèrement éméché, encore étourdi du vertige des manèges, mais pas trop étonné que la poupée gagnée au stand de tir se soit animée et marche près de moi.

« Comment t'appelles-tu, Pitchoun ? » lui demandai-je.

« Anna. Et toi ? »

« Fynn. Et d'où es-tu ? »

Je n'eus jamais de réponse à cette question, et ce fut bien la seule fois qu'elle ne me répondit pas. Mais je compris plus tard pourquoi. Elle avait trop peur que je ne la ramène.

« Quand t'es-tu taillée ? »

« Y a trois jours, je crois. »

Nous prîmes le raccourci en grimpant sur le pont et traversant les aires de triage. C'était pratique, parce que nous habitions le long du chemin de fer, et puis cela évitait de sortir Maman du lit pour nous ouvrir la porte.

En entrant par l'arrière à travers le cellier, nous arrivâmes dans la cuisine. J'allumai le bec de gaz. Pour la première fois, je vis Anna. Dieu sait à quoi je m'attendais, en tout cas pas à cela. Ce n'est pas tant la crasse, ni la robe trois fois trop grande pour elle, mais ce mélange de limonade, de *Guinness* et des couleurs de sa boîte. On eût dit un petit sauvage, bariolé de peinture jusque sur le visage et les bras. Le devant de sa robe était une vraie palette. Elle était si mignonne et si drôle que j'éclatai de rire, et comme elle se recroquevillait à nouveau sur sa peur, je la soulevai vite et la présentai au miroir de la cheminée. Quand elle se mit à pouffer à son tour, les brumes de novembre s'écartèrent de nous, et ce fut le printemps. Il est vrai que moi-même, je n'avais pas meilleure allure. « Ils faisaient bien la paire », comme dirait Maman plus tard.

Tout à coup, il y eut des coups frappés dans la cloison. Boum, boum, boum. C'était le signal de Maman.

« C'est toi ? Ton dîner est dans le four et n'oublie pas de fermer le gaz. »

Au lieu de la réponse habituelle : « D'accord, M'man, je m'dépêche », cette nuit-là, j'ouvris la porte et hurlai dans le couloir : « M'man, viens voir ce que j'ai trouvé ! »

Il faut dire que Maman ne faisait jamais d'histoires, elle prenait tout comme ça venait. Bossy, le chat que j'ai ramené un soir, le chien Patch, Carol, la fille de dix-huit ans qui est restée deux ans, et Danny, qui venait du Canada, et a passé trois ans chez nous. Certains font collection de timbres ou d'étiquettes, Maman collectionnait les épaves, chats, chiens, grenouilles et gens, sans compter la pléiade de « petites créatures » auxquelles elle croyait. Si je lui avais, ce soir-là, ramené un lion, sa réaction aurait été la même — « Pauvre chou ! ». A peine passé le seuil, un regard lui suffit : « Pauvre chou !, s'écria-t-elle, qu'est-ce qu'ils t'ont fait ? » Puis, le temps d'un second coup d'œil, elle se tourna

vers moi : « Toi, tu es dégoûtant, va te laver la figure. » Sur ce, Maman se laissa tomber à genoux et prit Anna dans ses bras.

Etre embrassé par Maman, c'était se trouver aux prises avec un gorille, ses bras étaient plus forts que pas mal de jambes. Maman avait une particularité anatomique qui m'a toujours rendu perplexe, elle avait un cœur de quatre-vingt-dix kilos dans un corps de soixante-quinze. C'était une dame ; où qu'elle soit à présent, elle demeure une dame.

Au bout de quelques minutes de « oohs » et de « aahs », les choses commencèrent à s'organiser. Maman se rétablit sur ses pieds, me lança : « Enlève-moi ces nippes trempées à c't enfant ! », ouvrit d'une bourrade la porte de la cuisine en criant : « Stan, Carol, venez tout de suite ! » Stan est mon frère, de deux ans plus jeune, et Carol, une des épaves de passage.

La cuisine et le cellier entrèrent en éruption : une baignoire apparut, des bouilloires d'eau sur le gaz, des serviettes, du savon. La cuisinière bourrée de charbon jusqu'à la gueule ; et moi, m'escrimant à tirer de leurs œillets les agrafes des habits d'Anna. Soudain, la voici, nue comme un nouveau-né, assise, jambes croisées, sur la table. « Les salauds ! » dit Stan, et Carol cria : « Mon Dieu ! », Maman serra les lèvres. Un instant, la petite cuisine bouillit de haine contre X : ce pauvre petit corps était bourré de bleus, meurtri. Nous autres, les vieux, serrions les poings, envoûtés par notre colère. Mais Anna restait assise là, et souriait d'un immense sourire. Comme une apparition merveilleuse, elle était là, et pour la première fois de sa vie, je crois, parfaitement heureuse.

Le bain une fois pris, la soupe avalée, Anna rayonnante dans la vieille chemise de Stan, nous nous retrouvâmes autour de la table de la cuisine pour faire le point de la situation. Comme il n'y avait pratiquement réponse à rien, nous laissâmes vite les questions en suspens. Elles attendraient bien à demain. Pendant que Maman mettait les affaires d'Anna à tremper, Stan et moi lui fîmes son lit sur le vieux sofa de cuir noir, à côté de ma chambre.

Je couchais dans une pièce qui donnait sur le devant, pleine d'asparagus, meublée d'un chiffonnier dont la tablette portait toute une collection précieuse de verrerie taillée, d'un lit, et jonchée de bouts de tissus et de pièces de lingerie. Un grand rideau de drap séparait ma chambre de la pièce voisine ; il glissait sur la tringle en entrechoquant ses gros anneaux de bois : clac-a-clac-a-clac. Le lit d'Anna était juste derrière le rideau. Ma fenêtre était tendue d'une étoffe ajourée qui laissait passer la clarté du réverbère d'en face. J'ai dit que notre maison était près du chemin de fer, où les trains passent de nuit comme de jour, mais on s'y habitue. Au bout de dix-neuf ans leur trépidation ne réveille plus, elle berce.

Quand le lit fut fait, et que tout fut prêt pour la nuit, je retournai dans la cuisine. Le petit elfe trônait dans un fauteuil d'osier, emmailloté dans une couverture, buvant du

cacao fumant. Sur ses genoux, Bossy vrombissait de plaisir et Patch, couché à ses pieds, battait la mesure avec sa queue sur le plancher. Le sifflement du bec de gaz, la vive lumière du feu, les petites flaques d'eau sur le sol, le vaissellier gallois, les casseroles rutilantes et l'éclat plombé de la cuisinière, avec ses garnitures et ses tisonniers de cuivre, tout cela rayonnait une intense clarté au centre de laquelle régnait la petite princesse. Ses cheveux étaient du roux doré le plus extraordinaire et le plus ravissant qu'on pût imaginer pour sertir un aussi joli petit visage. Mais cette gosse espiègle, souriante, vivante, aux yeux bleus grands ouverts n'avait guère de ressemblance avec les angelots peints des retables.

Quand elle m'avait demandé si je l'aimais, je n'avais pas été capable de dire non, et je m'en réjouissais à présent car la réponse était oui, mille fois oui. Comment ne pas aimer ce petit être ?

Maman émit son ronchonnement habituel : « Bon, allons nous coucher, ou nous ne serons plus bons à rien demain. » Je pris donc Anna et la portai à son lit, qui était ouvert. J'allais la border, mais je me trompais.

« Tu ne vas pas dire ta prière ? »

« Ben, si, répondis-je, quand je me coucherai. »

« Je veux la dire maintenant, avec toi. »

Nous nous mîmes tous deux à genoux. Elle parla, je l'écoutai.

A l'église, j'en avais entendu, des prières, mais jamais comme celle-là. Je ne me souviens plus de grand-chose, sinon qu'elle commençait ainsi : « Cher Mister God, c'est Anna qui vous parle... » et qu'elle continuait en parlant à Dieu si familièrement que j'avais dans l'échine une sensation bizarre : Dieu était certainement là, derrière nous. Je me souviens encore qu'elle dit : « Merci de laisser Fynn m'aimer. » Puis elle me dit bonsoir en m'embrassant, mais je ne sais plus comment je me mis au lit.

Allongé, j'essayai de mettre un peu d'ordre dans la confusion de mes pensées. Les trains passaient en s'ébrouant, la brume s'enroulait autour du réverbère. Une heure s'était peut-être écoulée, peut-être deux, quand j'entendis le clac-a-clac-a-clac des anneaux du rideau et je la vis, qui se détachait dans la lumière au pied de mon lit. Je me dis tout d'abord qu'elle était venue se rassurer sur ma présence, mais elle remonta vers le chevet.

« Salut, Pitch' », dis-je.

« Je peux venir ? » chuchota-t-elle ; et elle n'attendit pas mon « si tu veux », mais se glissa à mon côté, enfouit sa tête au creux de mon épaule et se mit à pleurer silencieusement des larmes chaudes et mouillées sur ma poitrine. Il n'y avait rien à dire, rien à faire qu'à l'entourer de mon bras. Je m'endormis. Ce sont des pouffements de rire qui me réveillèrent, Anna, hoquetant de joie près de moi, et Carol, déjà habillée, qui se tordait, la tasse de thé matinale à la main. Tout cela, en moins de douze heures.

Chapitre deux

Les semaines suivantes, avec un peu de ruse, nous tentâmes d'apprendre où habitait Anna. La manière tendre, le biais, l'astuce, rien n'y fit. Après tout il était bien possible qu'elle fût tombée du ciel. Quant à moi, j'étais prêt à le jurer, contre l'avis de Stan, qui avait le sens plus pratique. Une chose était sûre, elle n'irait pas chez les flics. Je croyais en avoir imposé le principe. Car enfin, si vous trouvez une orchidée, vous n'allez pas la mettre à la cave. Non pas que nous ayons eu quelque chose contre les flics. A l'époque, c'étaient des sortes de copains-fonctionnaires, même s'il leur arrivait de nous frotter les oreilles avec un gant de crin quand ils nous attrapaient à faire des idioties. Non, vraiment, on n'enferme pas un rayon de soleil dans le noir. Et puis, tous, nous voulions qu'elle reste.

Entre-temps, Anna avait fait la conquête de la rue. Quand les gosses formaient les camps, ils voulaient tous avoir Anna dans le leur. Elle était naturellement douée pour les jeux : la toupie, la marelle, les cartes. S'il y avait un tour qu'elle ne savait pas faire avec une baguette et un cerceau, c'est que ça n'en valait pas la peine.

Avec ses vingt maisons, notre rue était une société des nations. Il y avait des enfants de toutes les couleurs, à part le vert et le bleu. C'était une rue bien. Personne n'avait d'argent, mais je ne me souviens pas avoir jamais vu quelqu'un fermer sa porte à clef pendant le jour, ni la nuit, d'ailleurs. La rue était sympa, les gens braves, mais quelques semaines après l'arrivée d'Anna, la rue et les gens étaient couleur de bouton d'or.

Même Bossy, notre chat-tyran, roucoulait. C'était un matou frondeur, aux oreilles en dentelle, qui toisait les humains de très haut, mais sous l'influence d'Anna, Bossy restait plus souvent à la maison, et il la traitait d'égal à égal. J'avais beau me poster dans la cour des heures et l'appeler, il ne se montrait pas. Mais pour Anna, c'était différent. Il suffisait qu'elle prononçât son nom pour qu'il parût, les babines retroussées sur un sourire niais.

Bossy pesait son poids de méchanceté, j'ai des cicatrices qui le prouvent. Le tripier, qui apportait la viande des chats, l'enveloppait dans un journal et coinçait le paquet sous le heurtoir de la porte. Bossy rôdait alors dans le passage obscur, ou sous l'escalier, en attendant que quelqu'un vienne décrocher la viande. Alors il s'élançait comme une furie, toutes griffes et toutes dents dehors, utilisant, pour atteindre sa pâture, le moyen d'escalade le plus direct — jambe ou bras humain — et y plantait ses griffes sans vergogne. En un jour, Anna le dompta. Elle brandit son petit doigt et lui fit un sermon sur les méfaits de la gloutonnerie, les vertus de la patience et les bonnes manières. A la fin, Bossy faisait durer son repas au moins cinq minutes, au lieu de trente secondes, et Anna lui tendait une bouchée après l'autre. Quant au chien Patch, il passait des heures à exercer sa queue à battre de nouvelles cadences.

Le jardin, derrière la maison, recelait une population hétéroclite de lapins, ramiers, pigeons-paons, grenouilles et orvets. Ce jardin, qu'on appelait « la cour », était relativement grand, pour l'East End. Un tapis d'herbe, quelques fleurs, et un grand arbre qui mesurait bien douze mètres. Anna avait donc bien des choses sur lesquelles exercer sa magie. Mais personne ne tombait sous son charme aussi complètement et complaisamment que moi. Mon travail — dans le pétrole — n'était qu'à cinq minutes à pied de la maison et je rentrais déjeuner chaque jour à midi trente. Mais jusqu'alors, quand Maman demandait à quelle heure je rentrerais le soir, je disais habituellement : « Un peu avant minuit. » Les choses avaient changé. Anna m'accompagnait en haut de la rue, me donnait un baiser mouillé, et me faisait promettre de revenir à six heures. D'ordinaire, au moment de dételer, j'allais boire quelques demis au *pub* avec Cliff et Georges, et jouer aux fléchettes. Mais il n'en était plus question. Dès que retentissait la sirène, je partais vers la maison, sans courir, peut-être, mais d'un bon pas.

Rentrer était devenu un plaisir. Chaque pas me rapprochait d'elle. La rue faisait, en montant, une grande courbe vers la gauche, et il fallait gravir la moitié du chemin avant d'apercevoir le sommet. Elle y était. Qu'il pleuve, qu'il vente, qu'il neige ou qu'il fasse soleil, Anna était là. Pas une fois elle n'a manqué ce rendez-vous, sauf — mais c'est pour plus tard. Je doute qu'amoureux aient eu plus de plaisir que nous à ces rencontres. Quand elle me voyait tourner l'angle, elle venait à moi.

Elle avait un sens aigu des situations, du geste à faire, de l'occasion à saisir. Je croyais que les enfants couraient vers ceux qu'ils aiment, Anna pas. Quand elle m'apercevait, elle allait à moi, ni trop lentement, ni trop vite. D'abord, elle était trop éloignée pour que je distingue ses traits ; je l'aurais confondue avec une autre, peut-être, mais à des kilomètres, on reconnaissait le feu cuivré de sa chevelure. Elle y nouait pour ce rendez-vous un ruban vert foncé. A présent, je me le rappelle ; je suis sûr que sa manière de venir à moi était délibérée et raisonnée. Elle avait compris le sens de la rencontre, savait y ménager ce qu'il faut de tension, la faire durer pour en extraire tout le contenu. Pour moi, cette minute passée à marcher vers elle atteignait une sorte de perfection. Il n'y avait rien qu'on y dût ajouter, ni que l'on pût en retrancher, sans la détruire.

Que projetait-elle donc de si palpable au travers de l'espace qui nous séparait encore ? Le balancement de ses cheveux, le pétillement de ses yeux, ce grand sourire coquin qu'elle décochait comme une flèche. Parfois, sans mot dire, elle effleurait ma main en guise de salut ; parfois, les derniers pas la métamorphosaient, elle lâchait tout, explosait et se précipitait sur moi. Bien souvent, elle s'arrêtait en me faisant face et me tendait ses mains jointes. J'appris vite ce que cela signifiait. Elle avait trouvé quelque chose qui l'avait

émue. Alors, nous restions là, examinant la trouvaille du jour : un scarabée, une chenille, un caillou. Nous regardions en silence, penchés sur le nouveau trésor. Ses yeux étaient des lacs d'interrogation. Comment ? Pourquoi ? Quoi ? Rencontrant son regard, je hochais la tête, elle faisait de même, et cela suffisait.

La première fois que je la vis ainsi, mon cœur menaça de se décrocher. J'eus la tentation de la prendre dans mes bras et de la consoler. Je me cramponnai, heureusement, et n'en fis rien. Un ange avait dû, en passant, me donner une bourrade au bon moment. C'est le malheur que l'on console, et la peur peut-être, mais avec Anna, il s'agissait d'instants de pur émerveillement. Instants qu'elle avait choisi de partager avec moi, et cela me faisait honneur, en vérité. Je n'avais pas à la consoler, c'eût été empiéter sur elle. Il me suffisait de voir ce qu'elle voyait, d'être ému de ce qui l'émouvait. Ce genre de douleur doit être vécu seul. Elle-même le disait très simplement : « C'est pour moi et Mister God. » Il n'y a pas de réplique à cela.

A la maison, le dîner était plus ou moins le même tous les soirs. En qualité de fille de paysan d'Irlande, Maman était vouée au ragoût. Une grosse marmite de fonte noire et une énorme bouilloire étaient dans la cuisine les ustensiles de base. Et bien souvent, pour distinguer l'infusion du ragoût, il n'y avait qu'un indice : l'une se servait en tasses, et l'autre en assiettes. La différence s'arrêtait là, car, en consistance, l'infusion était aussi épaisse que le ragoût était fluide.

Maman croyait dur comme fer que la nature guérit de toutes les maladies. Pas une herbe, pas une fleur, pas une feuille qui ne fût le remède spécifique d'une affection. Même le petit cabanon du jardin avait reçu mission de produire des toiles d'araignées. Au lieu de vaches ou de chats, Maman avait ses araignées sacrées. Sans que j'aie jamais su pourquoi, toutes les coupures et écorchures recevaient un emplâtre de toiles d'araignées. S'il en manquait, il y avait toujours, sous la pendule de la cuisine, du papier à cigarettes que

l'on léchait consciencieusement avant de le coller sur la plaie. Partout, des bouteilles de jus, et, pendus au plafond pour sécher, des bouquets et guirlandes de feuilles. Le traitement était toujours le même : « Frotte, lèche, si tu ne peux pas lécher, crache dessus », ou « Bois, ça te guérira. »

Quoi qu'il en soit de la valeur de ces remèdes, une chose demeure : personne n'était jamais malade. Le médecin n'entrait guère à la maison que pour examiner une éventuelle fracture, ou pour la naissance de Stan. Et même si l'infusion (infusion chérie, disions-nous) ressemblait au ragoût, chacun avait un goût délicieux et les repas étaient bons.

Maman et Anna avaient beaucoup de choses en commun, la principale et la plus belle étant, à mon avis, leur attitude envers Mister God. La plupart des gens que je connaissais évoquaient Dieu pour chercher une excuse à leurs échecs. « Il aurait dû faire ci ! » ou « Pourquoi Dieu m'a-t-il fait ça ? ». Mais Maman et Anna voyaient dans les épreuves une occasion d'agir. La laideur ? Une occasion de faire de la beauté. La tristesse ? Une occasion de susciter la joie. Mister God était ainsi toujours de leur côté. Un étranger aurait été excusable de croire que Mister God habitait chez nous, mais Maman et Anna, quant à elles, en étaient sûres ; d'ailleurs, il était rare que nous ne fassions pas participer Mister God à nos conversations.

Après souper, quand tout était rangé, Anna et moi nous asseyions pour faire ce qu'elle avait choisi. Pas question de contes de fées, la vie était une réalité, et la réalité bien trop passionnante. La lecture de la Bible n'avait pas grand succès. Elle la considérait comme une matière primaire, réservée aux tout-petits. Le message de la Bible était simple, n'importe quel demeuré pouvait le saisir en moins d'une demi-heure ! La religion consistait en action, pas en lecture d'actions. Le message une fois reçu, il était inutile de le relire cent fois. Le curé de notre paroisse ne fut pas peu surpris quand il l'interrogea sur Dieu. Voici à peu près leur conversation :

« Crois-tu en Dieu ? »

« Oui. »

« Sais-tu ce que c'est que Dieu ? »

« Oui. »

« Qu'est-ce que c'est, alors ? »

« Il est Dieu. »

« Vas-tu à l'église ? »

« Non. »

« Pourquoi pas ? »

« Parce que je sais tout ça. »

« Qu'est-ce que tu sais ? »

« Je sais aimer Mister God, aimer les gens, et les chats et les chiens, et les araignées et les fleurs, et les arbres... » Le catalogue n'avait pas de fin. « ... de tout mon cœur. »

Carol me sourit, Stan fit la grimace, et moi, je me piquai vite une cigarette aux lèvres en déguisant mon rire en une quinte de toux. Que faire devant une telle accusation ? Car c'en était une (« ... de la bouche des petits enfants »). Anna avait dépassé tout l'accessoire et résumé l'essence de

toute connaissance en une phrase. « Et Dieu dit : Aime-moi, aime-les, aime tout, et n'oublie pas de t'aimer toi-même. »

Cette façon des adultes d'aller à l'église mettait Anna très mal à l'aise. L'idée d'un culte collectif heurtait le sens des conversations intimes qu'elle avait avec Dieu. Quant à se rendre à l'église pour rencontrer Mister God, voilà qui était absurde. S'il n'était pas partout, il n'était nulle part. Elle ne voyait pas le rapport entre l'église et « parler avec Mister God ». Pour elle, tout était limpide : on allait à l'église pour recevoir le message quand on était petit. Une fois reçu le message, on en sortait pour agir. Si on continuait à aller à l'église, c'est qu'on n'avait rien reçu, ou qu'on n'avait pas compris, ou simplement « pour se faire voir ».

La lecture que je faisais le soir à Anna portait sur toutes sortes de sujets, de la poésie à l'astronomie. En un an, elle retint trois livres qui étaient ses favoris. Le premier était un grand album de photos, représentant des flocons de neige et des structures de glace. Le second était la *Concordance biblique* de Cruden, et le troisième, choix bizarre entre tous, était le traité de Manning *Géométrie des quatre dimensions.* Chacun de ces livres avait sur Anna l'effet d'un catalyseur. A mesure qu'elle se les assimilait à fond, se formait dans son esprit ce qu'il faut bien appeler sa philosophie.

Elle aimait surtout que je lui lise la section de la *Concordance biblique* qui donne le sens des noms propres. On lisait chaque nom à sa place alphabétique la plus rigoureuse, et sa signification. Après avoir savouré le nom et l'avoir retourné dans son esprit, elle formulait son jugement quant à la justesse de la définition. La plupart du temps, elle secouait la tête tristement : ça n'allait pas. Parfois, c'était ça, exactement, le nom, la personne et le sens s'ajustaient parfaitement pour elle, et dans une bouffée d'enthousiasme, elle sautait sur mes genoux en disant : « Ecris-le, écris-le ! » Ce qui voulait dire que je devais le noter en lettres majuscules sur un bout de papier qu'elle contemplerait profondément quelques minutes avant de le ranger dans une de ses nombreuses boîtes. Puis, le temps de se ressaisir : « Le suivant, s'il te plaît. » Et nous poursuivions. Sur certains mots, il fallait bien un quart d'heure pour prendre une décision dans un sens ou dans l'autre. Cela se passait dans un silence absolu. Au cas où j'aurais bougé pour m'installer plus commodément, ou commencé une phrase, j'étais réprimandé par un petit mouvement de tête, un regard appuyé, et un doigt venait se poser doucement mais fermement sur mes lèvres. J'appris à attendre patiemment. Nous mîmes quatre mois à parcourir les noms propres, en passant par des alternances de haute exaltation et de profonde dépression auxquelles je ne comprenais rien, à l'époque. Plus tard seulement, j'entrai dans le secret.

Du premier instant de notre rencontre, Dieu avait toujours reçu le titre de Mister God ; le Saint-Esprit, pour une raison qu'elle seule connaissait, était appelé Vehrak. Je ne l'entendis jamais prononcer le nom de Jésus. Quand elle parlait de Jésus, c'était comme du « garçon de Mister God ». Un soir, que nous suivions les « J », nous arrivâmes naturellement à Jésus. A peine avais-je lu le mot que je fus arrêté par un « Non ! », un petit doigt levé, « Le suivant, s'il te plaît ». Qui étais-je pour discuter cela ? Je continuai. Or, le suivant sur la liste était JETHER. Je dus prononcer le nom trois fois, puis elle se tourna vers moi : « Lis ce qu'ils disent. » Je lus.

« JETHER signifie celui qui excelle, ou demeure, ou qui considère et explore ; ou une ligne, ou une corde. »

L'effet de ces mots fut foudroyant. En un éclair, elle avait glissé de mes genoux et s'était retournée pour me faire face ; elle s'était accroupie, les poings crispés, et tout son corps tremblait d'excitation. Une seconde, je fus horrifié à l'idée qu'elle était malade, qu'elle faisait une crise de nerfs. Mais l'explication, quelle qu'elle fût, allait plus loin que ma compréhension. Elle était ivre de joie. Elle répétait sans cesse : « C'est vrai. Je le sais. C'est vrai. C'est vrai. Je le sais. » Là-dessus, elle s'enfuit dans la cour où j'allais la suivre quand Maman allongea le bras et me retint. « Laisse-la seule, elle est heureuse. C'est son *œil.* » Une demi-heure passa avant son retour. Sans un mot, elle grimpa sur moi, me fit un de ses sourires de fête et dit : « S'il te plaît, écris le nom en grand pour moi ce soir. » Et elle s'endormit. Elle ne se réveilla même pas quand je la mis au lit. Pendant des mois, le mot « épilepsie » me trotta dans le crâne.

Maman disait toujours qu'elle plaignait d'avance celle que j'épouserais parce qu'elle serait forcée d'encaisser mes trois maîtresses : les maths, la physique et le bricolage électronique. La lecture ou l'expérimentation me faisaient oublier de manger et de dormir. Je ne me suis jamais acheté une montre ou un stylo, mais je n'allais nulle part sans ma règle à calcul. Cet appareil fascinait Anna qui eut bientôt sa règle à calcul personnelle. Ayant rapidement appris la suite des nombres, elle extrayait les racines carrées avant même de savoir faire une addition. Les utilisateurs acquièrent vite l'habitude de tenir l'instrument de la main gauche, laissant la droite libre pour tenir le crayon ; le pouce fait glisser le curseur, la règle coulissante étant calée contre la table. J'avais un plaisir extrême à voir ce petit bout de femme, sous sa tignasse d'or penchée, « faire ses opérations », comme elle disait. Du haut de mon mètre quatre-vingt-cinq, je lui jetais : « Alors, Pitch', comment va ? » et je voyais sa tête se tourner vers moi et une onde de joie la parcourir, du bout des pieds à la crinière, en laissant sur ses lèvres un sourire de jubilation.

Nous passions certaines soirées au piano. Je pianote moi-même passablement ; un peu de Mozart, du Chopin, et quelques mélodies contemporaines plus entraînantes, pour faire bon poids. J'avais, sur le piano, plusieurs appareils électroniques, dont un oscilloscope qui avait, pour Anna, le charme des miroirs magiques des contes de fées. Des heures durant, nous jouions des notes, l'une après l'autre, en observant, sur l'écran cathodique, la danse du point vert luminescent. L'exercice qui consiste à mettre en relation le son que l'on entend à l'oreille avec la forme qu'il prend à l'œil sur le petit tube, était une source d'émerveillement sans fin.

Nous en captâmes, des sons, Anna et moi ! Une chenille mâchant une feuille faisait le bruit d'un lion déchirant sa proie, une mouche dans un pot de confiture vrombissait comme un avion, une allumette qui prenait feu était une bombe. Tous ces sons, et mille autres, se trouvaient amplifiés et reproduits sous forme sonore et optique à la fois. Anna avait trouvé un nouvel univers à explorer. Je ne savais pas au juste ce qu'elle y comprenait, peut-être n'était-ce pour elle qu'un jouet perfectionné, mais ses cris de plaisir me suffisaient.

Ce n'est que dans le courant de l'été que je me rendis compte que les idées de fréquence et de longueur d'onde avaient pour elle un sens et qu'elle savait très bien ce qu'elle entendait et voyait. Un après-midi, les enfants jouaient dans la rue quand apparut un gros bourdon. L'un des gosses dit :

« Combien de fois est-ce qu'il bat des ailes en une minute ? »

« Des millions de fois », dit un autre.

Anna rentra d'un trait dans la maison en fredonnant une note assez grave. J'étais assis sur les marches du seuil. Après quelques tâtonnements, elle eut identifié sur le piano la note qui résultait de la vibration des ailes du bourdon. Elle me demanda : « Je peux prendre ta règle ? » Un instant plus tard, elle criait : « Un bourdon bat des ailes tant de fois par seconde ! » Personne ne voulut la croire. Elle ne se trompait pourtant que de quelques unités.

On capta tous les sons possibles et imaginables et, pendant les repas, on entendait : « Un moustique, combien de fois à la seconde ? Et une mouche ? »

Tous ces jeux ramenaient évidemment à la musique. Car entre-temps, chaque note avait été auscultée séparément, la valeur du son dépendant du nombre de fois où « ça se gondolait » par seconde. Bientôt, elle fabriqua de petites mélodies dont je faisais l'harmonisation. Des airs qui s'appelaient *Maman, Danse de Mister Jether* et *Rire* résonnaient dans toute la maison. Anna composait. Son seul problème était qu'il manquait des heures à ses journées. Il y avait trop à faire, trop de choses passionnantes à découvrir.

Autre tapis volant sur lequel s'envolait Anna : le microscope. Petit monde devenu gros. Univers complexe de formes et de structures, de créatures, que l'œil nu ne saurait voir ; la poussière elle-même devenait une merveille.

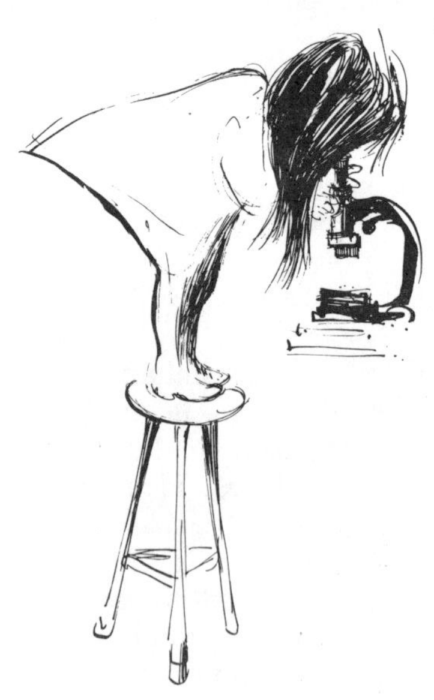

Avant qu'elle se fût aventurée dans tous ces univers cachés, Mister God avait été l'ami et le compagnon d'Anna, mais à présent, les choses allaient un peu trop loin. Si Mister God avait fait tout cela, c'est qu'il était plus grand qu'Anna ne l'aurait cru. Et voilà qui demandait un peu de réflexion. Pendant quelques semaines, l'activité se ralentit ; elle jouait encore dans la rue avec les autres ; elle était toujours aussi avenante, aimable, mais son attention se tournait vers l'intérieur ; elle s'isolait parfois, grimpée dans l'arbre de la cour, seule avec Bossy. Où qu'elle jetât les yeux, il semblait qu'il y eût de plus en plus de toutes choses.

Pendant ces quelques semaines, Anna fit le bilan de ce qu'elle savait, elle parcourut lentement la suite des objets, les repassa en revue comme pour trouver l'indice qui lui aurait échappé. Elle ne parlait plus beaucoup, répondait aux questions le plus simplement possible et, d'un sourire, s'excusait doucement de son absence : « Pardonnez-moi, semblait-elle dire, je reviens tout de suite, dès que j'aurai liquidé ce petit problème. » Enfin, l'affaire se dénoua.

« Je peux venir dans ton lit, ce soir ? »

Je hochai la tête.

« Maintenant », dit-elle.

Elle sauta de mes genoux, prit ma main, me tira vers la porte, et je la suivis.

Je ne vous ai pas dit comment Anna faisait pour résoudre un problème, n'est-ce pas ? Eh bien, quand Anna se trouvait devant une situation embrouillée, il n'y avait qu'un moyen : se déshabiller, et au lit. Nous étions donc couchés, le réverbère éclairant la chambre, sa tête posée dans ses mains et ses deux coudes solidement plantés sur ma poitrine. J'attendais. Elle demeura ainsi dix bonnes minutes, à mettre en ordre son argumentation. Enfin, elle se lança.

« Mister God a tout fait, non ? »

Aucune raison de dire qu'en fait je n'en savais rien. Je dis : « Oui. »

« Même la poussière et les étoiles et les animaux et les gens et les arbres et tout et les " trucmuches " ? » Les « trucmuches » étaient les petites créatures que nous avions vues au microscope.

« Oui, dis-je, il a tout fait. »

Elle fit un signe d'accord et poursuivit : « Est-ce que Mister God nous aime vraiment ? »

« Sûrement, dis-je, Mister God aime tout. »

« Mais alors, dit-elle, pourquoi permet-il aux choses d'avoir du mal et de mourir ? » On sentait à sa voix qu'elle venait de trahir un grand secret, mais la question avait été pensée, il était nécessaire de la prononcer.

« Je ne sais pas, répondis-je, il y a des tas de choses que nous ne savons pas sur Mister God. »

« Mais alors, poursuivit-elle, s'il y a des tas de choses que nous ne savons pas sur Mister God, comment savons-nous qu'il nous aime ? »

Je me sentais glisser dans le trou. Heureusement, elle n'attendait pas de réponse et continuait : « Ces " trucmuches ", je pourrais les aimer à en crever, mais ils ne le sauraient pas, hein ? Je suis un million de fois plus grosse qu'eux, et Mister God est un million de fois plus gros que moi, alors comment savoir ce que Mister God fait ? »

Elle se tint silencieuse pendant quelques minutes. Plus tard, il m'a semblé qu'elle disait adieu à sa petite enfance. Puis, elle continua :

« Fynn, Mister God ne nous aime pas. » Elle hésita. « Il n'aime pas vraiment, tu comprends, il n'y a que les gens qui peuvent aimer. J'aime Bossy, mais Bossy ne m'aime pas. J'aime les " trucmuches ", mais eux ne m'aiment pas. Je t'aime toi, Fynn, et toi, tu m'aimes, hein ? »

Je resserrai mon bras autour d'elle.

« Tu m'aimes parce que tu es un *gens*. Moi, j'aime vraiment Mister God, mais lui ne m'aime pas. »

Je croyais entendre un arrêt de mort. « Nom de nom, pensai-je, pourquoi faut-il qu'il arrive des choses pareilles ? Maintenant, elle a tout perdu. » Mais j'avais tort. Elle s'était déjà assuré une nouvelle prise.

« Non, dit-elle, non, il ne m'aime pas, pas comme toi, c'est différent, c'est des millions de fois plus gros. »

J'avais sans doute bronché ou poussé un soupir car elle se releva, s'assit, se mit à rire doucement, puis se jeta sur moi pour dénouer le petit nœud de peine, l'inciser avec la sûreté de main d'un chirurgien.

« Fynn, tu sais aimer, mieux que n'importe qui au monde, et moi aussi, hein ? Mais Mister God, c'est différent. Tu comprends, Fynn, les gens ne peuvent aimer que le dehors, et embrasser le dehors, mais Mister God, il peut aimer le dedans, il peut nous embrasser du dedans, c'est différent. Mister God n'est pas comme nous ; nous sommes un peu comme Mister God, mais pas beaucoup encore. »

Je crus comprendre : cela revenait à dire que nous sommes comme Dieu par ressemblance, mais que Dieu n'est pas comme nous par dissemblance. Le brasier de son cœur avait affiné les idées et, petite alchimiste, elle avait changé le plomb en or. Finies, toutes les définitions humaines de Dieu, Bonté, Miséricorde, Amour, Justice, ce n'étaient là qu'échafaudages autour de l'indescriptible.

« Tu vois, Fynn, Mister God est différent de nous parce qu'il peut finir les choses, et pas nous. Moi, je ne peux pas finir de t'aimer, parce que je serai morte des millions d'années avant d'avoir fini, mais Mister God peut finir de t'aimer, alors ça n'est pas le même genre d'amour, hein ? Même l'amour de Mister Jether n'est pas comme l'amour de Mister God, parce qu'il est seulement venu ici nous rappeler. »

La première salve m'avait réduit à merci ; j'avais déjà amplement de quoi réfléchir, mais elle ne m'épargnerait pas le reste de son artillerie.

« Fynn, pourquoi les gens se battent et font la guerre ? »

Je tentai de lui expliquer comme je pus.

« Fynn, comment dit-on, quand on voit les choses autrement ? »

Après quelques minutes de recherche, elle réussit à extraire de moi l'expression exacte : un « point de vue ».

« Fynn, voilà la différence. Tu comprends, tout le monde a un point de vue, le sien, mais Mister God n'en a pas. Mister God n'a que des " points à voir ". »

Je n'avais plus qu'une envie : me lever et partir faire une longue promenade. Que voulait donc cette gosse ? Qu'est-ce qu'elle fichait ? D'abord, Dieu pouvait finir, et moi pas. Je voulais bien, mais qu'est-ce que cela voulait dire ? Il me semblait qu'elle avait réussi à extraire l'idée de Dieu du monde temporel, et qu'elle l'avait solidement placée dans l'éternité.

Et quelle différence y avait-il entre « un point de vue » et « des points à voir » ? J'étais collé ; mais quelques questions me permirent de lever le mystère. « Points à voir » était une tournure maladroite. Elle voulait dire : « Vue sur des points. » C'était donc là la seconde salve : L'humanité en général a une infinité de points de vue, alors que Mister God a vue sur un nombre infini de points. Quand je le lui proposai sous cette forme, elle acquiesça et attendit que j'enchaîne. Voyons un peu. L'humanité a une infinité de points de vue. Dieu a vue sur une infinité de points. Ce qui veut dire que Dieu est partout. Je sursautai.

Anna partit d'un grand éclat de rire, et je la suivis.

« Tu vois, dit-elle, tu vois ? »

« Il y a une autre différence. » Nous n'en avions donc pas encore fini. « Mister God connaît aussi les choses et les gens du dedans. Et nous, nous les connaissons du dehors, hein ? Alors tu vois bien, Fynn, que les gens ne peuvent pas parler de Mister God du dehors. On ne peut parler de Mister God que quand on est dedans, du dedans de lui. »

Un petit quart d'heure passa encore à fourbir ces arguments, enfin, elle soupira : « C'est pas merveilleux, ça ? », m'embrassa, et nicha sa tête sous mon bras pour s'endormir.

Dix minutes après :

« Fynn ? »

« Oui. »

« Fynn, tu sais, ce livre sur les quatre dimensions ? »

« Oui, et alors ? »

« Je sais où est la quatre. Elle est dedans moi. »

J'avais mon compte pour cette nuit. Je rassemblai tout mon courage et mon autorité : « Et maintenant, dors, c'est assez bavardé comme ça. Dors, où je te donne une fessée. »

Elle poussa un petit cri, me regarda, sourit, et se blottit plus près de moi encore. « Tu serais pas chiche », dit-elle en s'endormant.

Le premier été qu'Anna vécut parmi nous se passa en promenades et en explorations. Nous visitâmes Southend-on-Sea, Kew Gardens, le musée de Kensington et mille autres endroits, la plupart du temps seuls, et parfois avec toute une bande de gosses. Notre première excursion hors de l'East End se fit en direction de l'autre « End ». Ce qui — soit dit pour ceux qui ne connaissent pas le coin — désigne les quartiers à l'ouest d'Aldgate Pump.

En ces occasions, elle était vêtue d'une jupe écossaise en laine sombre, d'un chemisier à manches longues, de souliers noirs à grandes boucles polies, et de chaussettes aux couleurs du kilt. La jupe était plissée très serré et lorsqu'elle la faisait tourbillonner, elle se déployait comme un parachute. Anna marchait en « professionnelle », gambadait comme un faon, voletait comme un oiseau et, comme un audacieux funambule, tenait un équilibre instable sur le bord

des trottoirs. Sa démarche était copiée de Millie, une vraie « pro » : tête haute, léger balancement des hanches pour faire rouler la jupe, sourire aux lèvres et regard pétillant qui vous désarmaient tout à fait. Voyant cela, les gens s'arrêtaient, comme illuminés par un grand rayon de soleil qui viendrait après des semaines de grisaille. Bien sûr, les gens ne pouvaient s'empêcher de sourire. Parfaitement avertie des regards qu'elle attirait, Anna se retournait vers moi de temps en temps, d'un air ravi. Danny disait qu'elle ne marchait pas mais « évoluait comme une reine ». L'évolution était souvent interrompue par la rencontre des sujets de Sa Majesté : chatons égarés, chiens, pigeons, chevaux, postiers, laitiers, conducteurs d'autobus, sans parler des agents de police.

Quand nous eûmes dépassé Aldgate Pump, les immeubles devinrent de plus en plus hauts et imposants, laissant Anna bouche bée. Elle décrivait des cercles autour d'elle-même, reculait d'un côté, puis de l'autre. Enfin, elle s'arrêta sidérée, tira sur ma manche et demanda : « C'est des rois et des reines qui habitent là ? C'est des palais, tout ça ? »

La Banque d'Angleterre, par contre, ne l'impressionna pas, ni la cathédrale Saint-Paul. Après en avoir conféré, nous décidâmes d'y entrer pour suivre l'office. Elle était mal à l'aise et passa son temps à gigoter. Dès que la cérémonie fut finie, nous sortîmes en hâte rejoindre les pigeons. Elle s'assit sur le pavé pour les nourrir. A quelques pas de là, j'observai la scène. Ses yeux volaient d'une chose à l'autre : les porches de la cathédrale, les passants, les voitures, les pigeons. De temps à autre, elle rejetait ses cheveux en arrière, comme pour marquer son désaccord. Je tâchai de trouver ce qui l'indisposait ainsi mais ne vis rien qui expliquât son humeur.

En quelques mois, j'avais appris à déchiffrer ses signaux de détresse. Ce petit mouvement de la tête n'était pas bon signe. On eût dit qu'elle cherchait à se débarrasser d'une idée désagréable, comme on secoue une tirelire pour en faire tomber la monnaie.

J'allai près d'elle, et j'attendis. Le fait d'être près d'elle suffisait d'ordinaire à la déclencher. Il ne s'agissait pas de lui donner des conseils. J'y avais renoncé depuis longtemps. A la question : « Qu'est-ce qu'il y a, Pitch' ? », la réponse était invariablement : « Je crois que j'y suis. » Elle-même ne m'interrogeait que lorsque la réponse lui échappait absolument. Non, la raison pour laquelle je m'approchai était simple : il fallait que mes oreilles fussent à sa portée au cas où elle en aurait eu besoin. Or, elle n'en avait pas besoin. C'était très mauvais signe.

Du parvis de Saint-Paul, nous allâmes vers Hyde Park. Je n'étais pas peu fier d'avoir, petit à petit, appris à suivre la pensée d'Anna. Je commençais à saisir sa façon de voir et de s'exprimer. Mais ce que j'avais oublié, cet après-midi-là, ou plutôt, ce dont je ne m'étais pas rendu compte, c'est qu'Anna changeait brutalement d'horizon. De l'étroitesse des rues cernées par les maisons, les usines, les grues, voilà qu'elle débouchait sur les espaces ouverts, le ciel libre du parc. Je ne m'attendais pas à sa réaction. Ses yeux s'agrandirent, elle enfouit sa tête dans mon gilet, se cramponna des deux mains et se mit à hurler. Je la pris dans mes bras, elle s'accrochait à moi comme une noyée en sanglotant dans mon cou. J'avais beau faire les bruits les plus consolateurs, elle ne se calma pas avant plusieurs minutes. Enfin, elle risqua un coup d'œil par-dessus mon épaule et cessa de geindre.

« Tu veux rentrer à la maison, Pitch' ? »

Elle secoua la tête.

« Tu peux me poser », dit-elle.

Je la voyais déjà poussant un cri de joie et partant au galop sur la pelouse. Mais elle renifla un petit coup, et doucement, le temps de reprendre contenance, nous commençâmes à explorer le parc. Mais elle ne lâchait pas ma main. Comme n'importe quel autre enfant, Anna avait ses frayeurs, mais contrairement aux autres, elle en prenait conscience, et cela fait, elle se sentait capable de les braver.

Comment un adulte mesurerait-il la violence d'une telle peur ? Est-ce une raison pour traiter un enfant de timide, de nerveux, d'angoissé ? Un monstre à dix têtes est-il plus effrayant qu'une Idée ? Je ne sais pas si sa peur était domptée, mais le fait est qu'elle se maîtrisait bien. Elle osa quitter ma main et tenter une première sortie — en se retournant pour s'assurer que je restais bien là. Je m'arrêtai donc sur place pour l'attendre. Elle n'était pas encore tout à fait rassurée, et elle savait que je m'en doutais. Pour me remercier de l'avoir attendue, elle me sourit.

Un souvenir me revint : J'avais son âge. Mon père et ma mère m'avaient emmené à Southend-on-Sea. La vue de la mer, et de la foule qui se pressait là, me firent l'effet d'un coup de masse. Je tenais la main de mon père quand j'aperçus l'immensité et, tout à coup, c'était la main d'un étranger que je tenais. Je sentis l'univers entier s'écrouler. Je n'étais pas en peine d'imaginer les frayeurs d'Anna.

Mais ses expéditions l'avaient pratiquement rasséréné. Elle me rapportait ses trésors habituels : des feuilles de différentes formes, des cailloux, des brindilles. Son enthousiasme avait repris le dessus.

J'entendis la voix bourrue d'un garde et me retournai aussitôt. Elle était agenouillée devant une plate-bande de fleurs. J'avais oublié de lui dire que cette pelouse était interdite. Anna, qui résistait gaillardement au Diable, ne céderait pas devant un garde forestier. Je courus la cueillir dans mes bras et la reposer sur le sentier.

« C'est lui, dit-elle en pointant un doigt indigné, il m'a dit de m'en aller de la pelouse. »

« Oui, répondis-je, tu n'as pas le droit de marcher sur cette pelouse-là. »

« Mais c'est la plus jolie. »

« Regarde ce qui est écrit. » Je désignai l'écriteau. « Pelouse Interdite. »

Elle scruta le panneau avec concentration à mesure que je lui épelai les lettres.

Quelque temps plus tard, nous étions allongés sur une pelouse et mangions du chocolat quand elle dit :

« Ces mots-là... »

« Quels mots ? » demandai-je.

« Les mots qui disent de ne pas marcher sur la pelouse, c'est comme l'église de ce matin. »

Voilà que tout s'éclairait. L'office religieux était comme l'écriteau. Anna se voyait interdire l'accès à ce qu'il y avait de plus joli. Entrer dans une église, sans cérémonie bien sûr, c'était, pour Anna, rendre visite à un ami très aimé, et dans une telle occasion, ne faut-il pas se réjouir et danser ? Danser dans l'église, voilà ce qu'il y avait de plus joli pour Anna. Mais le service religieux était un écriteau. « Pelouse Interdite. » « Joie Interdite. » Je ne pouvais m'empêcher de sourire en imaginant les cérémonies qu'aurait aimées Anna. Mais Mister God lui-même ne les préférerait-il pas ?

Et puisqu'elle avait commencé à mettre bas ses fardeaux, elle continua :

« Tu sais, quand j'ai pleuré ? »

Je fis signe que oui.

« Je me suis vue toute petite, si petite que j'ai failli me perdre. » Sa voix était frêle, lointaine, puis soudainement chaude et triomphante. « Mais je ne me suis pas perdue, hein ? »

C'est vers la fin du premier été qu'elle fit les découvertes les plus bouleversantes. La première fut celle des graines : tout naissait d'une graine ; les fleurs, les arbres, l'herbe tendre, et l'on pouvait cueillir cette graine et la tenir dans la main. La seconde fut l'écriture : les livres, et les écrits en général, n'étaient pas seulement des machines à conter des histoires, mais une sorte de mémoire portative, un moyen d'échanger des messages. Ces deux découvertes déclenchèrent une activité fébrile. Sa vitalité de corps et d'esprit étaient telles que l'on pouvait lire en elle à livre ouvert.

Ainsi, lorsqu'elle tint dans la main pour la première fois des graines de fleurs. Nul besoin de mots pour traduire ses attitudes et ses réflexions. Elle était simplement agenouillée devant des fleurs des champs et, dans ses paumes ouvertes, une pincée de graines. Ses yeux précédaient sa pensée : elle regarda les graines et fronça le sourcil, puis elle tourna la tête avec émerveillement pour revenir contempler sa cueillette. Enfin, elle se leva, prit dans l'espace un repère inconnu et décrivit un cercle complet avant de projeter sur moi son regard, si lumineux que je n'hésitai pas. Dans son esprit actif, la prairie tout en fleurs avait répondu à l'attente muette des grands terrains vagues et pelés de l'East End. Bien sûr, on pouvait transporter des graines d'un lieu à l'autre. Alors, pourquoi pas ? Je répondis à son regard en lui tendant mon mouchoir blanc qu'elle étendit par terre. Elle fit pleuvoir dessus les petites graines noires.

Je la vis cent fois recueillir ainsi des semences, sans qu'elle brutalisât jamais les fleurs. Elle se posait même la question : « En ai-je trop pris ? », « En reste-t-il assez ? » La décision exigeait un minutieux examen du fruit. Si elle en avait trop ôté, elle en reprenait une partie qu'elle éparpillait soigneusement sur la terre. Son estime pour Mister God ne faisait qu'y gagner : « N'est-il pas formidable, avec ses graines, Mister God ? »

Anna n'était pas seulement amoureuse de Mister God, elle était fière de lui. Et sa fierté prenait de telles proportions que je me demandais parfois bêtement si Mister God n'en tirait pas un peu de vanité. Bien sûr, Anna n'était pas la première à s'être attachée à Mister God, mais je crois que personne ne l'a aimé autant qu'elle.

Les incursions dans le royaume des semences supposaient un équipement spécial : un stock d'enveloppes et une large bourse qu'Anna fixait autour de sa taille à une ceinture splendide, brodée de perles exprès pour elle par Millie. Millie faisait partie de la douzaine de « professionnelles » qui logeait en haut de la rue. Millie et Jackie étaient, au dire d'Anna, les plus jolies jeunes dames que la terre ait portées. Entre ces jeunes prostituées et Anna régnait une admiration réciproque. Millie, soit dit en passant, arborait le nom glorieux de *Vénus de Mile End*.

La seconde grande découverte d'Anna, cet été-là, engendra un tel déploiement d'activité que la maison entière se retrouva jonchée de petits bouts de papier bleu. Chaque fois qu'elle découvrait une chose nouvelle, Anna accostait le premier venu, lui tendait un bloc et un crayon en disant : « S'il vous plaît, écrivez-moi ça gros. »

Chapitre trois

« Ecrivez-le moi gros » était une formule qui prenait l'interlocuteur un peu à contre-pied. N'avait-il pas l'impression qu'Anna lui tendait un bâton de dynamite à très courte mèche et que mieux valait s'esquiver ? Certains étaient désarçonnés — c'est le moins qu'on puisse dire — devant cette petite rouquine de cinq ans qui leur fourrait un bloc et un crayon en main avec prière « d'écrire ça gros ». La plupart donc se défilaient : « Fous le camp, môme ! », ou « La paix, gamine ! » Mais Anna s'y attendait et poussait son offensive. Sa caravelle voguait allègrement vers les tropiques du savoir et, malgré les voies d'eau et les coups de tabac, il n'était pas question de faire demi-tour. Il y avait des découvertes à faire, et Anna avait bien l'intention de les faire.

Des soirées entières, assis sur les marches où je fumais ma cigarette, je la voyais demander aux gens « d'écrire ça gros », et je me réjouissais de sa quête du savoir. Mais un soir qu'elle avait essuyé, de la part des passants, une longue série de refus, je la vis prête à flancher. Peut-être était-il temps de lui porter quelques paroles d'encouragement. Je quittai donc mes marches et traversai la rue.

Elle me montra le barreau brisé d'une rambarde.

« Je voudrais que quelqu'un écrive sur ça, mais ils ne le voient pas. »

« Ils sont peut-être pressés », suggérai-je.

« Non ! Ils ne le voient pas. Ils ne comprennent pas ce que je veux dire. »

Cette dernière réplique sur un ton de tristesse profonde,

intérieure — et cette phrase, je l'entendrai de plus en plus. « Ils ne le voient pas. Ils ne le voient pas. »

Je croyais savoir ce qu'il fallait faire pour la consoler de sa déception. C'était une affaire qui me semblait pouvoir se régler facilement. Je la pris dans mes bras.

« Ne sois pas trop déçue, Pitch'. »

« J'suis pas déçue. J'suis triste. »

« T'en fais pas. Je vais te l'écrire gros, moi. »

Elle se tortilla pour redescendre sur le pavé où elle se tenait à présent, tête baissée, tripotant son bloc et son crayon. Des larmes coulaient sur ses joues. Mes pensées tournaient en rond. J'hésitais entre mille méthodes pour l'approcher de nouveau. Au moment précis où j'allais intervenir et « tout arranger », le fameux « ange qui passe » m'asséna un bon coup sur le crâne. Je me mordis la langue, et j'attendis. Elle restait plantée là, abandonnée au désespoir. Oui, pensai-je, elle n'attend qu'une chose, c'est de se précipiter dans mes bras, elle veut se faire consoler. Mais elle demeurait là, à se débattre intérieurement. Les trams passaient en brinqueballant, les gens faisaient leurs courses, les marchands ambulants vantaient leur camelote, et nous restions face à face, moi me retenant de la prendre, et elle, perdue dans la fascination d'une chose nouvelle.

Enfin, elle leva la tête et nos yeux se rencontrèrent. Le froid me saisit et une envie me prit de cogner pour me défendre. Je connaissais cet air pour l'avoir rencontré déjà chez d'autres, et en moi-même. Le mot surgissait de la brume, comme une monstrueuse banquise, et me serrait la gorge. Deuil. Anna portait le deuil. Et ses yeux et son cœur, grands ouverts, révélaient au plus profond d'elle-même un espace vide, solitaire, une cellule.

« Je veux pas que tu écrives rien. » Elle tenta de sourire, sans grand succès, renifla, et poursuivit : « Je sais bien ce que je vois, et je sais bien ce que tu vois, mais il y a des gens qui ne voient rien et... et... » Elle se jeta dans mes bras en sanglotant.

Dans cette rue d'East End, ce soir-là, je tenais une enfant dans mes bras et contemplais la cellule solitaire où vit l'homme. Aucun livre, aucun cours ne m'en auraient appris autant. Solitaire comme elle est, cette cellule n'est jamais sombre. Sous l'écran des larmes filtrait une ardente lumière. Et si Dieu a fait l'homme à son image, ce n'est certes pas en beauté, ni en intelligence, ni par les yeux, les oreilles, les mains ou les pieds, mais en intériorité. Là était l'image de Dieu. Ce n'est pas le Diable qui rend l'homme solitaire, mais sa ressemblance avec Dieu. Oui, c'est la plénitude de Dieu, qui ne peut s'exprimer, et qui ne peut rejoindre son espace parfait, qui fait la solitude de l'homme.

Anna pleurait sur les autres. Sur eux qui ne voyaient pas la beauté de ce moignon de fer, ses couleurs, les formes géométriques de ses paillettes, sur eux qui n'y voyaient rien. Anna aurait voulu qu'ils se joignent à elle pour explorer passionnément ce monde nouveau mais ils ne pouvaient pas s'imaginer assez petits pour apercevoir dans la découpe déchiquetée du métal une chaîne de montagnes, une plaine de fer aux arbres de cristaux. Peu de gens pouvaient la suivre dans ce monde imaginaire. Et pourtant, quelle débauche de virtualités nouvelles, quelles joies, quelles aventures, en ce pauvre moignon rouillé.

Mister God en jouissait, lui, mais il ne craignait pas de se faire petit. Les gens l'imaginent très grand, c'est une erreur. Il prend la taille qu'il veut. « S'il ne savait pas se faire petit, comment aurait-il idée de ce qu'est une coccinelle ? » Evidemment. Et comme Alice au Pays des Merveilles, Anna mangeait le gâteau de l'imagination, et se faisait petite ou grande selon l'occasion. Après tout, Mister God n'avait pas *un* point de vue mais il avait vue sur une infinité de points, et le but de la vie n'était-il pas de devenir comme Mister God ? Anna le savait bien, être sage, gentille, généreuse, pieuse, tout cela n'avait pas grand-chose à voir avec Mister God. C'était une manière de « donner le change », comme on dit. Une façon de « placer ses billes », et Anna n'en voulait pas. Non ! La religion, c'est de devenir comme Mister God, et c'est cela qui est dur. Ce n'est pas en étant sage, aimable, aimante, qu'on ressemblait davantage à Mister God. Non ! D'abord, et c'était l'unique but de la vie, il fallait ressembler à Mister God, et ce faisant, qui ne serait sage, aimable et aimant ?

« Si tu deviens comme Mister God, tu peux pas savoir que tu l'es, hein ? »

« Que tu es quoi ? » demandai-je.

« Que tu es sage et bonne et gentille. »

Ces derniers mots, elle les lança en l'air avec désinvolture, comme s'il s'agissait d'une bonne plaisanterie. Je connaissais son truc. Quand elle faisait cela, ou l'on faisait semblant de n'avoir rien remarqué, ou il fallait se mettre à poser des questions. J'hésitai trente secondes de trop, et je vis la gaieté se répandre sur son visage avant d'éclater en rire ; elle avait gagné. Elle avait quelque chose à dire et m'avait conduit à poser la question. Tôt ou tard, j'aurais dû le faire, de toute façon.

« D'accord, Pitch' ! Qu'est-ce que c'est que cette histoire de sagesse et de bonté et de gentillesse ? »

« Eh bien », sa voix glissa un toboggan et, d'enthousiasme, remonta le suivant avant de décoller : « Eh bien, si tu penses que tu l'es, tu l'es pas. »

J'étais décidément le dernier de la classe. « Comment cela ? » demandai-je. J'avais cru connaître le cours de la conversation et j'avais imaginé me poster un peu plus loin pour l'attendre. Elle avait mis sa flèche à droite, j'étais prêt ; et soudain, voilà qu'elle tourne à gauche en épingle à cheveux et qu'elle revient sur moi bille-en-tête. Déséquilibré par la manœuvre, je préférai revenir me ranger près d'elle.

« Bon. Vas-y ! », dis-je.

« Tu penses pas que Mister God *sait* qu'il est sage et bon et gentil, si ? »

A vrai dire, je n'avais rien pensé du tout, mais présentée de la sorte, la question n'avait qu'une réponse, même si la conviction me manquait. « Non, je ne pense pas », dis-je en hésitant.

Le « Pourquoi ? » me resta coincé entre la tête et les cordes vocales. J'aurais dû me douter que ce dialogue menait à une conclusion, à une idée, à une constatation qui la satisferait absolument. Elle se recueillit, refoulant son excitation.

Et soudain, elle lâcha tout : « Mister God ne sait pas qu'il est sage et bon et gentil, Mister God... il est... vide. »

Moi, je veux bien que la pierre sur laquelle je me suis écrasé le pied soit imaginaire. Je veux bien que tout soit une illusion, mais que Mister God soit vide, ça, ça ne passe pas. Il est clair comme le jour que Mister God est plein ! Plein de science, d'amour, de compassion, de tout ce que vous voudrez. Enfin quoi ! Dieu est plein, comme la hotte du Père Noël, bourrée à craquer de beaux cadeaux, inépuisable, faisant pleuvoir sans cesse la manne sur ses enfants. Tonnerre, bien sûr qu'il est plein ! D'ailleurs, c'est ce qu'on m'avait appris, et c'est bien comme ça que c'était ! Non ?

Je ne tirai plus rien d'Anna ce jour-là, ni les suivants. Je marinais dans mon jus. L'idée que Mister God était vide me tournait dans la tête comme une meule. Evidemment, l'idée était grotesque, mais elle me poursuivait. Et à mesure, prenait forme dans mon esprit une image dont j'avais de plus en plus honte. Jamais auparavant je ne l'avais vue aussi clairement, et tout à coup, la voici : Mister God, tout déguisé, en queue-de-pie, huit-reflets et baguette magique, sortant des lapins d'un chapeau. On levait le doigt pour demander une auto, un million, tout ce qu'on désirait, Mister God agitait sa baguette, et c'était là. Enfin, je vis l'image que je me faisais de Mister God : un brave homme, moustachu, un MAGICIEN.

Quelques jours plus tard, après m'être bien interrogé sur l'origine de l'idée selon laquelle Dieu était vide, je finis par poser la question à Anna.

« Pitch', dis-moi un peu, ce truc-là à propos de Mister God, qui serait tout vide, qu'est-ce que c'est ? »

Elle se tourna aussitôt vers moi, comme si elle avait attendu la question depuis dix jours, mais n'avait rien pu entreprendre à mon égard tant que je n'aurais pas eu ma vision du Mister God magicien.

« Tu te souviens, quand tout est devenu rouge à cause d'un bout de verre, et puis, la couleur de la fleur. »

Je me souvenais bien de cela. Nous avions parlé de la lumière réfractée et de la lumière réfléchie. La lumière réfractée par du verre empruntait sa couleur, et la couleur jaune de la fleur était due à la lumière réfléchie. Nous avions vu les couleurs du spectre grâce à un prisme, nous avions fait tourner le disque de Newton et, mélangeant toutes les teintes, nous avions retrouvé le blanc. Je lui avais expliqué que la fleur jaune absorbait toutes les couleurs du spectre, sauf le jaune, qui se trouvait renvoyé vers l'œil de l'observateur. Anna avait digéré l'information et en avait tiré sa conclusion :

« Alors, le jaune, elle n'en veut pas ! » Et, au bout d'un moment : « Sa vraie couleur, c'est toutes les autres, qu'elle veut. »

Je ne pouvais discuter cela, ne sachant pas ce qu'une fleur pouvait au monde vouloir ou ne pas vouloir.

Toutes ces bribes d'information, voilà qu'elle les avait avalées, mélangées à des petits bouts de verre colorés, soigneusement secouées et pour finir, serties dans son petit vitrail personnel. Il semblait donc que chaque individu naquît avec sa collection de bouts de verre qui s'appelaient « Bon », « Mauvais », « Méchant », etc. Les gens avaient pris l'habitude de poser ces bouts de verre sur leur œil intérieur et de voir toute chose à travers leur couleur et leur nature. C'était, m'expliqua-t-elle, notre manière de justifier nos convictions intimes.

Seulement, Mister God était différent de la fleur. La fleur qui ne voulait pas du jaune était jaune pour nous parce que nous la voyions ainsi. On ne pouvait en dire autant de Mister God. Mister God aimait tout, donc il ne réfléchissait rien. Et si Mister God ne réfléchissait rien, nous ne pouvions pas le voir, n'est-ce pas ? Si bien qu'autant que nous sachions, autant que nous soyons capable de saisir la nature de Mister God, nous étions bien forcés d'admettre qu'il était vide. Non pas vide parce qu'il n'y aurait rien eu en lui, mais vide parce qu'il ne refusait rien, et qu'il ne pouvait donc rien réfléchir en retour ! Bien sûr, on pouvait tricher si l'on voulait, on pouvait mettre son petit bout de verre marqué « Mister God est amour » ou « Mister God est bonté », mais alors, évidemment, on méconnaissait la vraie nature de Mister God. Essayez simplement d'imaginer le genre d'« objet » qu'est Mister God, s'il accepte tout, comprend tout, s'il ne renvoie, ne réfléchit rien. Voilà comment est fait un VRAI DIEU, disait Anna. Et voilà ce qu'on nous demandait, jeter nos bouts de verre de couleurs pour voir clair. Ce qui ne facilitait pas les choses, c'est que le Pied-Fourchu était un important producteur de bouts de verre.

« Quelquefois, dit Anna, c'est les grandes personnes qui forcent les enfants à se les mettre. »

« Pourquoi feraient-elles ça ? », demandai-je.

« Pour forcer les enfants à faire ce qu'elles veulent. »

« Tu veux dire, pour leur faire peur ? »

« Oui. Pour leur faire faire quelque chose. »

« Comme on dit : Dieu va te punir si tu laisses ta compote ? »

« Oui, c'est ça. Mais Mister God s'en fiche, si tu l'aimes ou pas, ta compote, hein ? »

« Je crois bien. »

« S'il te punissait pour ça, il serait une grosse brute, et c'en est pas une. »

Bien des gens ont du mal à ouvrir les yeux sur le monde où ils vivent. Anna en avait découvert des milliers, grâce aux « bouts-d'verr'd'couleurs », verres filtrants, miroirs et kaléidoscopes. Le seul inconvénient de tous ces mondes était que, pour les décrire, souvent, les mots manquaient. Nom, verbe, adjectif, Anna ne faisait guère la différence, mais elle comprit vite que la difficulté d'écrire et de parler venait essentiellement de l'usage des mots descriptifs. Elle se contentait bien de la définition : « Une rose est une rose est une rose », elle s'en contentait, dis-je, à la rigueur, mais que « le rouge est rouge est rouge » ne la satisfaisait plus du tout.

Le problème des mots se compliqua encore par la faute de Mme Sussums. Mme Sussums nous avait rencontrés dans la rue. Mme Sussums était en réalité notre Tante Dolly par alliance, et notre Tante Dolly n'avait qu'une passion dans la vie. Manger des caramels aux noisettes. Elle en mangeait d'énormes quantités, continuellement, et par conséquent son visage était toujours déformé par d'importants transits de caramels. Et s'il y avait un reproche à lui faire, c'était de s'entêter à embrasser tout le monde, pas seulement une fois, mais plusieurs. Séparément, ces deux activités étaient encore viables mais, conjuguées, elles offraient certains risques.

Il nous fut impossible d'esquiver les baisers. Nous reçûmes l'ordre d'« ouvrir grand la bouche » et dûmes y laisser enfourner un pavé de caramel dont la moitié, ne trouvant pas à se loger à l'intérieur, fut contrainte d'attendre dehors.

Des années d'entraînement avaient développé, dans les muscles faciaux de Tante Dolly, une force remarquable qui lui permettait d'arracher ses maxillaires à la tenace emprise du caramel et de parler quand même. Elle tenait Anna par les épaules : « Mon Dieu, qu'elle est grande ! »

Je déblayai mon caramel et parvins à proférer : « Grangue, grès grangue ! »

Quant à Anna, elle émit un « *Got gum gockle* » que je renonce à traduire.

Tante Dolly nous fit un au revoir en poursuivant son chemin. Et nous nous assîmes sur un mur en essayant de caser le caramel à moindre embarras.

Avant l'arrivée de Tante Dolly, nous descendions la rue, ou plutôt, nous nous y promenions selon une méthode un peu originale. Nous avions en effet inventé un jeu qui faisait d'une promenade de cent mètres une excursion d'une heure. L'un était le « nommeur », et l'autre le « toucheur ». Le « nommeur » choisissait par terre un objet et le nommait, allumette par exemple, et le « toucheur » se posait dessus. Puis, le « nommeur » nommait un autre objet que le « toucheur » devait atteindre en un pas, ou un bond. De là, l'itinéraire un peu fantasque. Comment savoir d'avance où l'on se dirigeait ? Nous nous remîmes à jouer. Nous avions bien fait dix mètres quand Anna s'arrêta.

« Fynn, si on était " toucheur " tous les deux, et moi je serais " nommeur " aussi ? »

Et en avant. Anna nommait, nous touchions ensemble, mais ce n'était plus pareil. On n'entendait plus ni fous rires, ni pépiements de joie : « J'en ai un, j'ai le ticket de tram ! » Cette fois, c'était très sérieux. Anna se murmurait à elle-même : « Petit pas, hop, petit pas, hop, grand pas, hop... » Puis elle s'arrêta. Se retournant sur le dernier pas, elle me dit :

« C'était un grand pas, ça ? »

« Pas très. »

« Pour moi, si. »

« C'est parce que t'es une pitchoune », dis-je en riant.

« La tante Dolly a dit que j'étais grande. »

« Elle voulait sans doute dire, pour ton âge. »

L'explication ne la satisfit pas du tout. Le jeu s'arrêta net. Elle se tourna vers moi, les mains sur les hanches. Je voyais d'ici les mots lui courir dans la tête.

« Ça veut rien dire », prononça-t-elle avec la gravité d'un juge en toque.

« Mais si, tentai-je d'expliquer, ça veut dire que, comparée à des tas de petites filles de cinq ans, tu es plus grande qu'elles. »

« Mais si c'était des filles de dix ans, je serais plus petite, non ? »

J'acquiesçai. Je sentais monter la marée. Elle était repartie à l'assaut de quelque chose, je le savais bien. Alors, j'essayai vite d'en placer une avant de me trouver submergé.

« Ecoute Pitch', on ne dit pas " plus grande " ou " plus belle " ou " plus petite " ou " plus mignonne ", si on ne compare pas avec autre chose. »

« Et quand on ne peut pas ? » Elle avait l'air bien sûre d'elle-même.

« Quand on ne peut pas quoi ? », demandai-je.

« Pas comparer, parce que... » Et Anna sortit ses gros

canons. « ...parce que Mister God. Y en a pas deux. Tu peux pas comparer. »

« Les gens ne comparent pas Mister God avec eux-mêmes. »

« Je sais. » Elle s'amusait bien de mes efforts défensifs.

« Alors, pourquoi tu t'ébouriffes comme ça ? »

« Parce que, parce que eux, ils se comparent à Mister God. »

« Mais c'est le même tabac », répondis-je.

« Non, ça l'est pas. »

Cette manche me revenait : mes questions l'avaient poussée à faire une erreur. Car elle était convenue que les gens ne comparent pas Mister God à eux-mêmes, d'où il s'ensuivait qu'ils ne se comparaient pas non plus à Mister God. Je lui développai cette contradiction, et pour confirmer ma victoire, je lançai mon invincible cuirassier. « Tu as dit que les gens comparent. Tu aurais dû dire qu'ils *ne* comparent *pas.* »

Anna me fixa. Je réarmai mes batteries, pour le cas... Certes, j'avais raison, mais on ne sait jamais. Et sous le regard d'Anna, mon invincible cuirassier se désagrégea. J'étais si triste à l'idée qu'elle s'était empêtrée dans ses propres arguments, et que c'était un peu ma faute, et que je m'en étais réjoui quelques secondes. Elle vint tout contre moi, m'entoura de ses bras, enfouit sa tête dans le creux de mon cou. Je me dis qu'elle devait être bien lasse de tous ces raisonnements, et bien déçue de ne pas « y être » cette fois-ci. Les rideaux de fer de mon petit magasin de tendresse et de consolation s'ouvrirent, et je la serrai sur mon cœur. D'un mouvement d'épaule, elle me fit savoir qu'elle comprenait.

« Fynn, dit-elle doucement, compare deux avec trois. »

« Moins un », murmurai-je avec satisfaction.

« Hum, compare maintenant trois avec deux. »

« Plus un. »

« Voilà. Moins un, c'est la même chose que plus un. »

« Quoi-quoi ? grognai-je, moins un, la même chose que ...Hé là ! »

Elle était déjà à dix mètres, pliée en deux, hurlant de joie.

« C'est pas la même chose du tout », lui criai-je.

« Si ! La même chose ! », hurlait-elle.

Je la pris en chasse jusqu'à la maison, entre les étals et les voitures de la rue du marché. Je ne la rattrapai pas. Plus menue que moi — et de beaucoup — elle se faufilait par des raccourcis que ne pouvaient emprunter ni mon corps ni mon intelligence.

Ce soir-là, comme nous étions assis sur le mur du chemin de fer, à voir passer les trains, je lui dis :

« C'est avec ton fameux bout de verre que tu m'as fait ce coup-là ? »

Elle émit un bruit que je pris pour un « oui ». J'attendis un instant, puis j'ajoutai :

« Combien en as-tu encore ? »

« Des millions, mais c'est pour rire. »

« Et ceux dont tu n'arrives pas à te débarrasser ? »

« C'est fait. »

« Qu'est-ce qui est fait ? »

« Je suis débarrassée. »

Le ton parfaitement objectif de sa dernière phrase me priva de la réplique que j'avais préparée. Une bande de maximes bourdonnait dans ma tête, maximes opportunes en ces occasions, dans le genre de : « Si tu fais trop la fière, gare à la bûche ! », ou même : « La Roche tarpéienne est près du Capitole. » Je me rengorgeai dans ce sentiment bien adulte qu'il y avait intérêt à lui rabattre un peu le caquet, à lui faire comprendre combien ses remarques étaient « déplacées ». Après tout, je ne pensais à tout cela que « pour son bien ». C'était son intérêt. Et c'était aussi de mon devoir, ce qui me procurait un certain confort moral. Quant à l'ange, au lieu de me cogner la caboche, il était passé tranquillement, ce qui me prouvait que j'avais raison. J'avais le feu vert. Mon rata de platitudes, de proverbes et de bons conseils était cuit à point, et j'ouvris la bouche afin qu'en sortît la sagesse. Mais au lieu de cela, je demandai :

« Tu crois que tu en sais plus que le Père Castle ? »

« Mais non. »

« Il a des bouts de verre, lui ? »

« Oui. »

« Et toi, comment ça se fait, que tu n'en aies pas ? »

Sur la voie, la motrice de triage sonna la charge en émettant un panache de vapeur et un coup de sirène ; ces avertissements donnés, elle fit grincer ses articulations et se mit en branle. Les wagons un à un s'éveillèrent et répercutèrent le message jusqu'à la queue du train. « Tagada-bing, tagada-bong, bing-bong, taca-boum. » Le message codé revint du fourgon de queue à la locomotive : « D'accord, on est réveillés, arrête ton foutu sifflet. » Je souris en pensant qu'Anna et la motrice devaient être cousines. Elles avaient la même technique. La loco poussait les wagons, comme Anna me poussait à poser les questions qu'elle voulait.

Quant à celle que je venais de lui présenter : « Comment ça se fait, que tu n'aies pas de bouts de verre ? », il y avait longtemps que sa réponse était prête et qu'elle attendait de la placer. Elle le fit d'ailleurs sans manières : « C'est parce que je n'ai pas peur. » Voilà une réponse qu'il faut attraper au vol. Au vol, parce qu'elle touche à l'essentiel. Au vol, parce qu'elle coûte rudement cher, parce que pour ne pas avoir peur, il faut payer de confiance. Et ça, c'est un mot difficile à saisir ! Lui aussi, il faut le prendre au vol, si l'on peut. Plus que de l'assurance, plus que de la sécurité, de la confiance. Qu'on soit ignorant ou savant ne fait rien à l'affaire. C'est le don par lequel on accepte de ne plus être « au centre du monde » pour y mettre quelque chose ou quelqu'un. Quant à Anna, elle avait simplement cédé la place à Mister God. En fait, je le savais depuis longtemps.

J'aime les mathématiques. Pour moi, rien n'est plus passionnant, plus beau, plus poétique. Depuis des années, je m'amuse avec une espèce de petit jouet qui est très stimulant pour l'esprit. Il est fait de deux cercles de gros fil de cuivre, passés l'un dans l'autre comme les maillons d'une chaîne. Je joue si souvent avec que parfois, j'oublie même que je l'ai dans les mains. Un jour, j'avais placé les cercles perpendiculaires l'un à l'autre.

Anna en montra un du doigt.

« Je sais ce que c'est. Ça, c'est moi. » « Et ça, c'est Mister God », dit-elle en désignant l'autre. « Mister God passe par le milieu de moi et moi je passe par le milieu de Mister God. »

Et c'était vrai. Anna savait que sa place était au centre de Mister God et que la place de Dieu était en son centre à elle. Cela peut paraître un peu difficile au début, mais on y prend goût. Quand elle disait qu'elle n'avait pas peur, Anna ne se vantait absolument pas. Elle était ainsi faite, et c'est ainsi qu'elle voyait les choses. Je l'enviais.

Non, Anna ne se laissait pas facilement désarçonner. Pourtant, je vois encore, suspendue sur sa trajectoire, une cuillerée de tarte à la crème vanillée planer sans jamais atteindre sa bouche. Voici comment : la chose se passa chez la Mère B, la marchande de puddings. La Mère B était un prodige de la nature : elle était plus haute couchée que debout. Sans doute parce qu'elle se nourrissait de ses propres puddings.

La Mère B avait ramené la langue anglaise à un idiome de base. Elle n'usait que de deux phrases : « Et pour toi, mon canard ? » et « Voyez-vous ça ! » La pauvreté relative de cette partition était largement compensée par l'interprétation qu'elle en faisait. « Voyez-vous ça ! » pouvait signifier la surprise, l'indignation, l'horreur, ainsi que tout sentiment, ou alliage de sentiments, exigés par la situation. Quand la Mère B éructait : « Et pour toi, mon canard ? » la commande de deux pâtés chauds et de deux puddings aux pois s'enchaînait souvent avec de savoureuses questions du genre : « Qu'est-ce que vous pensez de l'aînée de Madame Unetelle ? » Et c'est là que le « Voyez-vous ça ! » devenait si pratique. Si jamais l'aînée de Madame Unetelle venait de mourir, le « Voyez-vous ça ! » se drapait de noir, et si l'aînée de Madame Unetelle s'était justement fait la valise avec le locataire, alors « Voyez-vous ça ! » était une façon de dire « Je le savais depuis toujours ». Mais c'était invariablement : « Voyez-vous ça ! » Quant à « Et pour toi, mon canard ? », la Mère B n'ayant aucune sorte de conscience de classe, l'adressait également aux dockers, au curé, au wattman, aux gosses et aux chiens. Selon Danny, la consommation qu'avait faite la Mère B de ses propres puddings aux rognons avait tout simplement gommé de ses cordes vocales toute autre possibilité d'élocution que le « Voyez-vous ça ! » et le « Et pour toi, mon canard ? ».

On trouvait évidemment chez la Mère B tous les puddings de la création : à la viande, aux rognons avec ou sans fruits, des pâtés avec ou sans fruits, et toutes sortes de puddings sucrés. Pour encourager l'achat, elle offrait les sauces gratis : sauces fruitées et sirops, chocolatées, vanillées, ou sauce de viande mijotant dans de grandes cocottes. Les seuls nuages qui passaient sur ce paradis de Dame-Pudding, passaient tous les quarts d'heure, chaque fois qu'un galopin essayait de faucher sa part. Alors, la Mère B activait ses cent quarante kilos et allongeait un grand coup de louche dans la direction de l'arsouille, qui avait filé depuis longtemps. La Mère B n'était pas douée pour cogner de la louche. Non seulement, en brandissant cette arme mortelle, elle aspergeait tout le monde de crème à la vanille, ou de la dernière sauce où elle l'avait trempée, mais le coup qu'elle portait causait des torts irréparables à l'innocent pudding qui attendait sagement sur le comptoir. Les gens bien informés savaient prendre leurs distances, à moins qu'ils n'aillent s'installer sur les sièges annoncés en vitrine par l'écriteau : « Ici On Peut s'Asseoir. »

Le jour de « la cuillerée suspendue », nous étions assis tous les six, Anna et ses deux copains, Bob-Bom et Tictac, Danny, un jeune Canadien-Français, Millie, la Vénus de Mile End, et moi. Nous avions avalé du pudding aux pois, au bœuf, aux rognons, et nous abordions le dessert quand s'assirent à la table voisine deux hommes en uniforme, des *matelots* français. Je ne sais trop comment cela se produisit, et je ne garantis pas la précision des termes, toujours est-il que

Bon Dieu, dit le matelot, le pudding, il est formidable !

La cuiller d'Anna s'arrêta en l'air. La bouche ouverte pour accueillir le pudding onctueux se décrocha d'un cran supplémentaire, et les yeux, qui scintillaient de joie gustative, s'écarquillèrent de curiosité.

Danny répondit, sans qu'on lui demandât. « C'des Français », dit-il, la bouche pleine.

« Qu'est-ce qu'il a dit ? », chuchota Anna.

« Que l'pudding il est minable », dit Bob-Bom en rigolant.

Mais l'heure n'était pas à la plaisanterie, Anna ne riait pas. Elle baissa sa cuiller vers son assiette et, comme si une injure grave avait été commise à son égard, elle prononça :

« Mais, je ne comprends pas ce qu'il dit. »

Quant à moi, mon français se limite à dire que les *papillons* sont *belles,* que les *vaches* mangent l'herbe et que le *pleur* est humide. Malgré tout, je parvins à expliquer à Anna que le français était parlé en France, que la France était un autre pays, dans cette direction, en gros, et je tendis le bras vers l'Est. Je la convainquis enfin que ce n'était pas là une visitation d'anges parlant la langue céleste, mais que Danny le Canadien parlait le français comme il parlait l'anglais. Elle absorba tout cela avec plus de promptitude et de facilité qu'elle n'aurait fait du pudding vanillé de la Mère B.

« J'peux lui demander ? », me dit-elle à l'oreille.

« Lui demander quoi ? »

« D'écrire ce qu'il a dit ? »

« Bien sûr. »

Et voilà Anna qui prend son papier, son crayon, et qui court au *matelot* pour lui demander d'« écrire ça gros au

sujet du pudding ». Heureusement, l'un des matelots parlait anglais et elle n'eut pas besoin de mon aide. Le temps d'avaler deux tasses de thé, elle était de retour. Elle avait même réussi à dire « *au revoir* » en les quittant.

Deux jours après, elle était encore tout excitée par cette rencontre. Découvrir qu'il y avait plus de gens en France parlant français que de gens en Angleterre à parler anglais n'était pas une mince surprise.

Je l'emmenai à la bibliothèque publique pour lui montrer des livres en différentes langues, mais entre-temps, Anna avait distillé son étonnement et lui avait trouvé une case dans son esprit. Comme elle me l'expliqua plus tard, ça n'était pas si surprenant que ça : après tout, les chats parlent chat, les chiens chien, les arbres parlent arbre, pourquoi donc les Français ne parleraient-ils pas français ?

C'était moi qui avais le plus de raisons d'être surpris de la réaction d'Anna devant les Français. Elle connaissait bien d'autres langues, elle pratiquait l'argot, et elle utilisait elle-même des mots yiddish. Elle parlait par signes à Tictac, qui était sourd et muet de naissance. Elle s'était déjà intéressée au Braille, et ma pratique de la radio amateur l'avait initiée aux mystères du Morse. Ce qu'alors j'ignorais, c'est qu'elle était justement plongée dans le problème du langage, et qu'en entendant le français, elle avait simplement pensé : « Comment ? Encore une autre langue ? »

Deux questions avaient germé en elle, concernant le langage : la première, « Puis-je créer ma propre langue ? », la seconde, « Mais qu'est-ce au juste que le langage ? ». La réponse à la première question était en bonne voie. Un soir, je pus le constater moi-même quand elle alla chercher, sur le haut du buffet de la cuisine, un de ses nombreux cartons à chaussures et le posa sur la table ; il était rempli de carnets de notes et de bouts de papier.

Le premier papier qu'elle me montra portait deux colonnes verticales : à gauche, des nombres, à droite, les lettres ou les mots correspondants. Le fait que l'on pût écrire « 5 abeilles » avec un chiffre et « cinq abeilles » avec un mot était, me dit-elle, très important. Si tous les nombres pouvaient s'écrire en mots, alors tous les mots s'écriraient bien en chiffres. Il suffisait peut-être de substituer les vingt-six premiers nombres aux vingt-six lettres de l'alphabet, quoiqu'on ne gagnât pas grand-chose à écrire le mot Dieu : « 4, 9, 5, 21. »

On pouvait aussi se servir d'objets ou de noms d'objets pour représenter des lettres. Un manuel de lecture le dit bien : « A comme Abeille », d'où l'on conclut que « Abeille égale A », « Bourdon égale B », « Eléphant égale E », etc. Nous pourrions également écrire le mot « Abeille » en représentant à la suite : une abeille, un bourdon, un éléphant, un iris, un lapin, un autre lapin, et un dernier éléphant.

Feuille après feuille, les travaux d'Anna s'amoncelaient, montrant qu'elle avait fait toutes sortes d'expériences avec

les mots, les nombres, les objets et les codes. Elle en avait tiré la conclusion que l'invention d'une langue ne pose pas tant de problèmes que ça. La difficulté étant de choisir entre tant de possibilités. Une chose la retint plus longtemps : la mise au point de nouvelles techniques du Morse. Ce code étant formé de points et de traits, il était facile de les remplacer par deux autres signaux, pourvu qu'ils fussent distincts. Et comme Mister God avait eu la prévoyance de nous équiper d'un pied droit et d'un pied gauche, pourquoi ne pas s'en servir pour s'exprimer ? Un saut sur le pied gauche était un point, un saut sur le pied droit était un trait, les pieds joints au sol, la fin d'un mot. Nous arrivâmes très bien à communiquer de la sorte, et à d'assez longues distances. De plus près, le pied posé sur le joint des pavés était un point, et au milieu du pavé, un trait. Et de plus près encore, en se tenant par la main, il suffisait d'appuyer tantôt du petit doigt, tantôt du pouce, pour disposer d'un langage parfaitement invisible et secret. En tout, Anna élabora neuf variantes à ce système.

L'enthousiasme qu'elle mettait à étudier les modes de communication était si... communicatif que je m'adonnai à la mise au point d'une vibro-ceinture. C'était tout simplement une ceinture où se trouvaient fixés deux vibreurs électriques. Quand on la portait, on avait un vibreur sous le bras droit, et un sous le bras gauche. Les handicaps de cette technique étaient, premièrement, que les vibreurs chatouillaient Anna et la faisaient rire aux larmes, deuxièmement, que c'était un peu lassant de se harnacher de boutons poussoirs, de piles et de câbles, troisièmement, que dans la rue, les fils qui nous reliaient constituaient au ras du sol un piège où quelques passants innocents tombèrent, sans nous en savoir aucun gré. En conséquence de quoi, la technique fut abandonnée.

« Mais qu'est-ce au juste que le langage ? » Voilà un problème un peu plus ardu. En faisant ses « opérations », Anna avait remarqué qu'il y avait un nombre qui était plus important que tous. C'était le nombre 1. Il était important parce qu'il suffisait de l'additionner à lui-même — autant de fois qu'il fallait — pour obtenir tous les autres. Evidemment, on tournait la difficulté. On parlait de 5, de 37, de 574, au lieu de dire « Un plus un plus un plus un, etc. ». C'était une économie de temps, mais qui ne changeait rien au fait que 1 était le nombre le plus important. Parmi les mots, comme parmi les nombres, il y en avait un qui était plus important que tous, et c'était naturellement le mot « Dieu ». Anna voyait le-plus-important-des-nombres :

« 1 » comme le sommet d'un triangle, mais ce triangle était posé sur son sommet. Le UN devait porter le POIDS de tous les autres nombres.

Les mots, par contre, s'entassaient les uns sur les autres. Et tous ces mots ne servaient qu'à expliquer et à mettre en valeur le mot du sommet. Ce mot, « Dieu », surmontait l'énorme pyramide du langage ; et il fallait escalader cela jusqu'au sommet pour comprendre le sens du mot « Dieu ». C'était effrayant de voir comment la Bible, l'Eglise, le Caté-chisme, empilaient les mots en une grande montagne que personne, peut-être, n'aurait jamais la force de gravir.

Dieu merci, notre brave Mister God a, dans sa sagesse, résolu le problème pour nous. La réponse n'est pas dans les MOTS, mais dans les NOMBRES. Si le nombre 1 porte tout le poids des autres, quelle idée de croire les autres mots capables de supporter le poids du mot « Dieu ». C'est donc « Dieu » qui porte le poids de tous les mots. Et la pyra-mide surmontée par « Dieu » est une erreur. Il faut la mettre à l'envers. Voilà qui est mieux. Maintenant, la pyra-mide des mots, comme celle des nombres, est posée sur sa pointe. Le sommet de la pyramide est « Dieu », et il est juste que « Dieu » porte le poids du sens de tous les autres mots.

Anna me montra ses « opérations ». Sur une page, un triangle à l'envers, debout sur son sommet marqué « 1 » : le triangle des nombres. Sur une autre page, un triangle debout sur sa pointe nommée « Dieu ». Et la dernière feuille du carton à chaussures portait un triangle renversé sur sa pointe nommée « Anna » !

« Haha, dis-je, tu t'es fait un triangle pour toi toute seule ? »

« Non. Tout le monde en a un. »

« Ah, et à quoi ça sert ? »

« C'est pour quand je serai morte, et que Mister God me posera des questions. »

« Et alors ? »

« Il faudra que je réponde toute seule. Personne ne peut le faire pour moi. »

« Je sais bien, mais le triangle ? »

« C'est pour montrer que je dois porter ma... »

« Ta responsabilité ? »

« Ouais. »

« Je vois. Tu veux dire que tu dois porter tout le poids, comme dans les autres triangles ? »

« Ben oui. Tout ce que j'ai fait, et tout ce que j'ai pensé. »

Elle hocha la tête, satisfaite, et me laissa couler dans le silence.

Je mis quelque temps à m'en pénétrer, mais c'était vrai. Chacun porte le poids de ce qu'il a fait. Chacun est responsable, tôt ou tard. Aux questions que lui pose Mister God, chacun répond seul.

Chapitre quatre

Cela ne fait aucun doute, l'arrivée d'Anna avait tourneboulé la maison et m'avait donné pas mal de fil à retordre. Dès l'abord, elle m'avait paru un peu étrange. Cela tenait peut-être à l'atmosphère de notre rencontre. Les premières semaines m'avaient bien montré qu'elle n'était ni un angelot, ni une fée, ni une adulte déguisée. Non, c'était à cent pour cent une gosse, avec ses fous rires, sa frimousse sale, et ses émerveillements à se couper le souffle. Chaque matin elle se ruait sur la journée, aussi affairée qu'une abeille, aussi curieuse qu'un chaton, aussi joueuse qu'un chiot.

Tous les enfants n'ont-ils pas quelque chose de magique ? Comme ces jeux de lentilles qui concentrent les faisceaux lumineux, on dirait qu'ils ont le don d'illuminer les recoins les plus sombres. Peut-être cela vient-il de ce qu'ils sont encore neufs, qu'ils n'ont pas encore perdu leur éclat, leur transparence. Mais il est vrai qu'ils sont capables de rompre l'armure la plus épaisse. Avec un peu de chance, vous verrez se disloquer et s'effondrer les solides barricades que vous avez mis des années à élever pour vous protéger de la vie. Avec un peu de chance ? A condition que vous soyez prêts à vous retrouver nus et sans défense, à votre âge. Alors, c'est une chance. Sinon, c'est intolérable. J'ai vu des gens s'effondrer complètement sous les remarques d'Anna. Non pas qu'elle fût si maligne, si perspicace, mais parce qu'elle se montrait si vulnérable. Et cela forçait les gens à hésiter. C'est un truc qu'elle avait bien appris : par tous les moyens, honnêtes ou pas, faire hésiter les gens. Et Anna ne négligeait aucun « truc » pour atteindre ses objectifs. Si les gens hésitent, ils sont plus réceptifs, ils s'interrogent. Au fond, je ne m'en tirais pas trop mal. En livrant un baroud d'honneur, évidemment. Ouvrir la cage à son âme — appelez ça comme vous voudrez — la tirer de sa nuit, est une des actions les plus difficiles et les plus douloureuses qui soient.

En grandes lettres rouges, en descendant Broadway, on peut lire l'affiche « Voulez-vous être sauvé ? ». Je me demande combien de gens pourraient répondre oui. S'il y avait écrit « Voulez-vous être assuré ? », des millions de gens diraient : « Oui, oui, oui, nous voulons l'assurance, la sécurité », et voilà une barricade de plus ! L'âme est à l'abri, protégée, rien ne peut l'atteindre ni la blesser, mais il lui est interdit de sortir. « Etre sauvé » n'a rien à voir avec « être assuré ». On est sauvé quand on se voit clairement soi-même. Pas de « bouts d'verre d'couleurs », pas de blindage, pas d'écran ; soi-même. Anna ne parlait jamais de cela, jamais je ne la surpris à vouloir « sauver » qui que ce fût. Elle n'aurait même pas compris cette manière de voir ; ici, c'est moi qui interprète. Mais Anna savait parfaitement qu'il était vain de se mettre à l'abri des risques, qu'il fallait rompre, « s'évader », si l'on voulait progresser. Et « s'évader » est dangereux, très dangereux ; mais nécessaire. Il n'y a pas d'autre moyen.

Je ne tardai pas à essayer de coller sur Anna une étiquette, rien que pour satisfaire ma tranquillité personnelle, mais, Dieu merci, aucune étiquette ne tenait. Après l'enchantement des premières semaines, la présence d'Anna me posa deux problèmes dont l'un était immédiat et évident, tandis que l'autre prenait très lentement corps. Ni l'un, ni l'autre, ne furent aisés à résoudre. En fait, je mis deux ans, mais alors, ce fut instantané.

Tout d'abord, quelle était la nature exacte des rapports que j'avais avec Anna ? Je me croyais assez vieux pour être son père et je m'essayai quelque temps à ce rôle, sans grand succès. Celui de grand frère était-il plus juste ? Il ne semblait pas. Je passai successivement de père à frère, d'oncle à ami, sans que jamais les mots arrivent à recouvrir les choses. Et cela pendant longtemps.

Le second problème concernait Anna elle-même. Qui était-elle ? Une enfant, bien sûr, une enfant très douée, très intelligente. Mais qui était-elle ? Tous ceux qui la rencontraient remarquaient en elle une chose étrange, qui la mettait à part des autres enfants. « C'est une fée », disait Millie. « Elle a *l'œil* », disait Maman. « C'est un sacré génie », disait Danny. Le Révérend Castle déclarait : « C'est une petite fille très précoce. » Cette étrangeté chez Anna mettait certaines gens mal à l'aise, mais son innocence et sa gentillesse passaient là-dessus comme un baume qui calmait soupçons et craintes. Si elle avait été un génie des mathématiques, aucun problème : on aurait parlé d'imposture, et c'était liquidé. Si elle avait été un enfant prodige de la musique, nous aurions tous roucoulé de bonheur. Mais elle n'était rien de tout cela. L'étrangeté d'Anna venait de la pertinence de ses jugements, pertinence qui chaque jour progressait. Une voisine croyait qu'Anna lisait l'avenir ; Madame W., il est vrai, ne pensait qu'à cela, elle vivait parmi les tarots, les feuilles de thé et les horoscopes. Or, il est vrai aussi qu'Anna tombait si souvent juste dans ses prévisions qu'elle finit par passer pour un petit oracle, la pythie de l'East End.

Anna avait forcément un don, mais il n'y avait là rien d'inquiétant, de morbide, ni de « surnaturel ». Son mystère était aussi simple qu'il était profond. Elle saisissait d'instinct la trame des choses, leur structure, la façon dont elles s'assemblaient pour faire un tout. C'était aussi simple et aussi mystérieux qu'une toile d'araignée, aussi banal qu'un coquillage. Anna discernait des formes là où d'autres ne voyaient qu'un fouillis. Là était son don.

Un jour, une charrette tirée par un cheval vint se coincer une roue dans le rail du tramway. Nous fûmes aussitôt une demi-douzaine d'aides bénévoles.

« Tous ensemble, les gars. Quand je dirai Hisse. Hoo, Hisse ! »

Nous hissâmes à qui mieux mieux. Rien ne bougea.

« Encore une fois, les gars. Hoooo, Hisse ! »

Nouvel essai, même résultat.

Au bout de cinq minutes d'efforts improductifs, Anna vint me tirer par la manche. « Fynn, si vous mettiez quelque chose devant la roue, et si vous caliez par derrière et que vous poussiez, ça serait plus facile et le cheval pourrait aider. »

Une barre de fer aplatie, quelques bûches, un coup d'épaule de part et d'autre, et la roue se dégagea du rail aussi proprement qu'un bouchon d'une bouteille. Quelqu'un me tapa dans le dos. « Ben mon gars, ça c'était une bonne idée ! » Comment pouvais-je dire que ce n'était pas la mienne ? Comment dire que c'était Anna ? Je pris les éloges pour moi.

C'est vrai. Anna avait de la chance. Des coups comme celui-là me rendaient tout heureux et fier d'elle ; mais il y avait aussi des moments d'angoisse, quand elle semblait avoir visé trop haut, quand ses remarques, ses jugements, ses paris avaient l'air si contradictoires, si excentriques, que je me sentais forcé de le lui dire. Elle ne faisait aucun commentaire. Et cela me peina et me resta longtemps en travers de la gorge.

Anna était aussi familiarisée avec l'idée d'atome que le canari l'est avec ses graines. La dimension du cosmos et de ses millions d'étoiles ne la faisait même pas ciller. L'estimation que donnait Eddington du nombre d'électrons dans l'univers était peut-être un nombre assez élevé, mais il n'y avait là rien de gênant. On pouvait facilement écrire des nombres encore supérieurs et Anna savait bien qu'il n'y a pas de limite à la numération. Mais les mots souvent manquaient pour dire des nombres longs, et cela posait un problème. Le mot « million » convenait dans la plupart des cas, « milliard » dépannait à l'occasion, mais s'il s'agissait d'un très très grand nombre, si l'on voulait un mot, il fallait l'inventer. Anna inventa le « fourmillion ». Le « fourmillion » était un mot élastique, on pouvait l'étirer à l'infini. Anna commençait à avoir besoin de ce genre de mots.

Un soir, juchés sur le mur, nous regardions passer les trains et saluions du bras tous ceux qui voulaient bien nous répondre. Anna buvait sa limonade « qui pique », quand elle se mit à rire. La suite est difficile à décrire ; je vous suggèrerais d'essayer vous-même de rire en avalant de la limonade « qui pique », et d'attraper le hoquet. J'attendis que le rire se tasse, que le hoquet s'apaise, et qu'un coup de tête ait remis les cheveux en place.

« Alors Pitch', qu'est-ce qui est si drôle ? »

« J'étais en train de penser que je pouvais répondre à des “ fourmillions ” de questions. »

« Ben, moi aussi », répondis-je sans exprimer de surprise.

« Toi aussi ? » Toute excitée, elle se pencha vers moi.

« Bien sûr. C'est pas sorcier. Remarque, j'aurai un demi-fourmillion de réponses fausses. » Je croyais avoir parfaitement ajusté cette réponse-là, mais j'étais loin du compte.

« Oh ! » Comme elle était déçue ! « Moi, toutes mes réponses sont justes. »

Bon, pensai-je, c'est le moment de la reprendre en main. Une petite correction ne lui fera pas de mal.

« Tu ne peux pas. Personne ne peut répondre juste à un fourmillion de questions. »

« Si. Je peux répondre juste à un fourmillion de questions. »

« Mais c'est impossible. Personne ne peut. »

« Moi je peux. Vraiment, je peux. »

Je pris une inspiration profonde et me tournai vers elle, prêt à la gronder. Je rencontrai son regard calme, parfaitement sûr de lui. Elle avait l'air d'être persuadée de son affaire.

« Je vais t'apprendre », dit-elle.

Et avant que j'aie pu réagir, elle avait démarré.

« Un plus un, plus un combien ça fait ? »

« Trois, bien sûr. »

« Un plus deux ? »

« Trois. »

« Cinq ôté de huit ? »

« Encore trois. » Je me demandais où nous allions.

« Six ôté de huit plus un ? »

« Trois. »

« Cent ôté de cent trois ? »

« Arrête ton char, Pitch' ! Bien sûr, ça fait trois, mais tu ne crois pas que tu triches un peu ? »

« Non, je ne triche pas. »

« Moi, je trouve que si. Tu fabriques tes questions au fur et à mesure. »

« Oui, je sais. »

« Ben quoi, des questions comme ça, tu pourrais en poser jusqu'à la Saint Glinglin ! »

Son sourire s'épanouit et je me demandai ce que j'avais pu dire de si drôle. Et je me rendis compte que poser des questions jusqu'à la Saint Glinglin, c'était en poser des « fourmillions » !

Histoire de s'assurer que la leçon était bien rentrée, elle donna un dernier tour de vis : « Un demi plus un demi plus un demi... » Je posai ma main sur sa bouche. J'avais entendu et compris ; il était inutile que je réponde. Mais avec l'aisance et le tournemain pratique d'une mère qui finit de langer bébé, elle ajouta en guise de conclusion : « Combien y a-t-il de questions qui se répondent par " trois " ? »

Pour faire amende honorable, mais dans l'ignorance du chemin qui restait encore à parcourir, je répondis : « Des fourmillions. »

Je m'étais détourné, comme si de rien n'était, et faisais des grands signes aux trains qui passaient. Alors, elle posa sa tête sur mon épaule et dit : « C'est drôle, Fynn, chaque nombre est la réponse à des fourmillions de questions. »

Je crois bien que c'est là que commença sérieusement mon éducation. Je mis un bout de temps à me remettre en selle et à retrouver le Nord. On m'avait jusqu'à présent enseigné la bonne vieille méthode : premièrement la question, deuxièmement la réponse. Et voilà que j'apprenais, de la bouche d'un diablotin rouquin haut comme trois pommes, que pratiquement toute phrase, toute monosyllabe, tout nombre, toute expression était la réponse à une question informulée. J'imagine qu'il doit y avoir un biais par lequel réfuter cette méthode, mais je l'ai adoptée, et je la trouve extrêmement pratique. Avec beaucoup de douceur, et non sans une certaine excitation, on m'apprit comment marcher en arrière. Je devais, sans quitter des yeux la réponse, reculer pas à pas jusqu'à ce que je me cogne à la question. Patiemment, on m'expliqua que « trois » était une réponse très utile parce qu'elle aiguillait sur des « fourmillions » de questions. Plus il y avait de questions au bout d'une réponse, plus utile était la réponse. Et l'intérêt de la méthode, me dit-on, était de montrer que certaines réponses ne semblaient découler que de quelques questions, et certaines réponses d'une seule question. Plus le nombre de questions auquel ramenait une réponse était réduit, plus les questions étaient importantes, et quand une réponse ne provenait plus que d'une seule question, alors, on décrochait la timbale.

A mesure qu'on m'initiait à ce monde renversé, je prenais un goût accru aux réponses qui découlaient de « fourmillions » de questions. Que le nombre « neuf » constituât la réponse à des fourmillions de questions informulées, me

donnait un frisson d'enthousiasme. Moi aussi, je pouvais donc, sans erreur, répondre à des « fourmillions » de questions. Et même, à cette extrémité de ce monde renversé, j'étais devenu un véritable « crac », car je composais des questions d'une complexité telle que je n'aurais même pas tenté de les résoudre, si je n'avais su leur réponse dès le début. A l'autre extrémité, par contre, quand il s'agissait de réponses qui ne reconduisaient qu'à une seule question, j'étais un « cancre ». J'hésitais, et même, je répugnais à poser la question.

Un soir que nous nous balladions ensemble, Anna sautillant d'un pavé sur l'autre en évitant les joints, elle me lança soudain par-dessus l'épaule et sans interrompre son jeu : « Fynn, dis : Au centre de moi. »

En élève docile, je répétai : « Au centre de moi. »

Dix mètres en avant, elle me cria : « C'ment ? »

Je stoppai net, me remplis les poumons, et criai : « Au centre de moi ! »

Des petites mères à cabas se mirent à changer de trottoir en me coulant des regards par en dessous. Des filles rirent sous cape et des gosses se firent signe que je devais avoir un écrou desserré quelque part. Les occupations et préoccupations de tous ces braves gens s'étaient trouvées d'un coup brutal interrompues par un grand dadais de cent kilos, se plantant brusquement sur la chaussée, et hurlant à réveiller les morts : « AU CENTRE DE MOI ! » Des coups d'œil apitoyés, des remarques du genre : « Il doit être sinoque », ou « Comme les apparences sont trompeuses ! » déferlaient dans ma direction. Comment pouvaient-ils se douter que je n'avais fait que répondre à ce petit diable de rouquine qui bondissait comme une puce à une vingtaine de pas en avant ? Evidemment, j'étais en proie à on ne sait quelle crise. Devant les réactions produites par mon cri, je sentis ma bouche s'ouvrir, comme un poisson qu'on aurait jeté au sec, et mes yeux saillir de leur logement. Ce coup-ci, je devais avoir l'air vraiment cinglé. Pour secouer mon embarras, je levai aussitôt le pied et, en quatrième vitesse, m'engouffrai dans une ruelle adjacente, fis le tour du pâté de maisons, et freinai pile devant Anna qui sautillait toujours.

« Alors quoi, haletai-je, tu te fous de moi ? »

Mon petit maître, à moins que ce ne fût mon tyran, continuait à rebondir comme un bouchon sur la vague. Je lui posai les mains sur le crâne et l'immobilisai. « Stoppe tes machines, ta cervelle va tourner en mayonnaise. »

Elle stoppa. « Fynn, la GRANDE question, qu'est-ce que c'est ? »

« Comment veux-tu que je sache ? », dis-je en scrutant la rue, m'attendant presque à voir des types en blouses blanches courir sur moi avec une camisole de force.

« Tu as peur. » Elle me prit par la main et m'entraîna. Ce n'était pas une accusation, mais une simple observation. Nous parvînmes au pont du canal. « On descend », dit Anna. Je la ramassai et me penchai par-dessus le parapet, la tenant à bout de bras, je la lâchai d'environ un mètre cinquante sur le chemin de halage. C'est ainsi que nous descendions d'ordinaire, négligeant les escaliers qui étaient à quinze mètres... Nous flânâmes le long de l'eau, saluant poliment les chevaux rencontrés, jetant quelques cailloux dans le canal et coulant corps et biens une boîte de haricots. Puis, nous cherchâmes des pierres plates pour faire des ricochets et, en une demi-heure, réussîmes à en expédier deux ou trois sur la rive opposée en ne faisant qu'un seul rebond sur l'eau. Enfin, nous atteignîmes une barque amarrée et nous assîmes à la proue, les jambes pendantes le long de la coque. Je retrouvai une sèche au fond de ma poche de veste, la redressai comme je pus, et dans une autre poche, une allumette soufrée. Anna me tendit sa semelle, j'y frottai l'allumette, embrasai la sèche et en tirai une longue bouffée.

Nous nous étendîmes côte à côte sur le pont de la barge, pompant autant de rayons solaires qu'il en parvenait à se faufiler à travers les vapeurs et fumées des usines alentour. Je rêvai qu'à bord de mon yacht privé, je voguais en Méditerranée, pendant que le steward me servait des chopes de bière fraîche et me tendait une flamme à laquelle j'allumais des cigarettes marquées à mes initiales. Le soleil brillait dans un azur limpide, et l'arôme de fleurs exotiques se répandait sur les eaux. A mon côté une adorable enfant rayonnait de tendresse, de bonheur et d'innocence. Je n'avais pas idée que le petit chérubin ne pensait qu'à mettre sous pression sa chaudière infernale de questions-et-réponses, et attendait seulement que la vapeur forçât le piston. Je n'avais pas idée qu'elle s'affairait à affûter ses scalpels, à aiguiser ses scies et ses ciseaux à froid, et que d'une main tranquille, elle soupesait ses marteaux. A peine avais-je éclusé la moitié de ma seconde bière que mon beau

SALLY ANNE

bateau blanc heurta une mine et coula. Ma couche moelleuse redevint le pont métallique d'une barge et mon oreiller un rouleau de cordages goudronneux, la cigarette à mon chiffre se rabougrit en vieux clop éteint, et les douces effluves des fleurs dérivant sur les flots provenaient de la fabrique de savon. Quant à l'astre d'or dans un azur sans tache, il jetait son œil glauque entre les nuages de soufre crachés par les hautes cheminées.

« Ton centre, il est vide ? »

Je serrai fort les paupières dans l'espoir qu'un autre yacht me repêche. Déjà les événements prenaient forme. Je voyais d'ici les manchettes des journaux : « Dramatique sauvetage en mer. » « Un jeune homme sauvé après vingt et un jours en mer — Récit exclusif. » Ça commençait à me plaire ; c'était un rôle pour moi.

« Hé ! »

Mon oreille droite explosa et le souffle chassa mes rêves par l'autre oreille. Un bon coup de coude bien dur dans les côtes me ramena tout à fait à la réalité.

« Quoi ? Qu'est-ce qu'il y a ? », dis-je en me redressant sur un coude.

« Ton centre, il est vide. » Je ne savais pas si c'était une question ou une constatation.

« Bien sûr que non, il est pas vide. »

« Alors, quelle est la question ? »

Je devinais ce qu'elle voulait me faire dire, mais je ne le dirais pas, elle n'avait qu'à droguer. J'en ruminai une autre avant de la cadrer précisément. « Où est Anna ? » Tout bien pesé, celle-là était un peu risquée ; je posai donc celle-ci : « Où est Millie ? »

Elle me fit un sourire, et je m'attendais presque à ce qu'elle me donnât une petite tape sur la joue, un bonbon et une image.

« Et la question de la réponse " Au centre de Millie " ? »

Ah, celle-là, je l'avais prévue, et elle pourrait bien essayer de s'en dépatouiller de ma question-bouchon-100 % étanche. D'un ton méthodique et déterminé, je répondis : « La réponse " Au centre de Millie " ramène à la question " Où est le sexe ? " », et j'ajoutai, à part moi, « ...et maintenant, petite calamité, tire-toi de ce pas ! »

Elle n'eut pas à s'en tirer, elle n'y entra pas. Sans sourciller, sans même marquer de temps, elle poursuivit. Ses questions étaient comme des vagues à l'assaut du rivage. L'une n'avait pas déferlé sur la plage que des millions d'autres s'étaient formées en mer. Elles accouraient sans relâche et rien ne les arrêterait. Ainsi d'Anna. Les questions se formaient au tréfonds d'elle-même et remontaient pour se déverser par sa bouche, par ses yeux, dans chacun de ses actes, et rien, mais rien ne les arrêterait. On eût dit que chaque pensée en elle était destinée, hors d'elle, à une pensée-cousine.

Elle demanda : « Quelle est la question de la réponse " Au centre du sexe " ? »

Je tendis le bras et posai un doigt sur ses lèvres.

« La question est : " Où est Mister God ? ". »

Elle me mordit le doigt, et ses yeux disaient : « Ça, c'est pour m'avoir fait attendre ! » Ses lèvres disaient : « Oui. »

Je me rallongeai sur la barge pour réfléchir à ce que j'avais dit. Plus j'y pensais, plus j'en concluais que ça n'était pas mal, pas mal du tout. Ça me plaisait. Ça avait au moins l'avantage de faire l'économie de toutes ces démonstrations : « Dieu est ici, il est là, il est parmi les étoiles... » Oui, cela me plaisait... seulement...

Il fallut plusieurs jours pour résoudre le « seulement ». Encore fallut-il que le « professeur » me guide lentement et m'explique en des termes qu'un idiot comme moi comprenne. Voyez-vous, j'en étais arrivé au point de pouvoir, sans hésitation, reconstituer des questions à des réponses comme « Au centre du vers », « Au centre de moi », « Au centre de toi ». Même la réponse « Au centre du tramway » ne m'indisposait plus. La question était toujours : « Où est Mister God ? » Tout était donc parfait, si ce n'était un insignifiant petit détail. Je me sentais encaissé entre des parois montagneuses vertigineuses, impraticables, et dont on n'apercevait même pas les sommets.

Les noms de ces sommets étaient : les vers dans LA TERRE ; je suis ICI, tu es LA ; les trams sont DANS LA RUE. J'étais coincé entre ces choses multiples et variées qui avaient toutes des centres où était Mister God ! L'univers entier était jonché d'ICI, de LA et d'AILLEURS. Au lieu d'avoir affaire à un gros Mister God, trônant entier dans un ciel aux dimensions pharamineuses, je me retrouvais aux prises avec tout un assortiment de petits Mister God habitant les centres de toutes choses ! Serait-ce que tous ces centres contenaient des morceaux de Mister God qu'il faudrait assembler et emboîter comme dans un gigantesque *puzzle ?*

Ayant reçu mon explication, ma première pensée fut pour le pauvre Mahomet, qui était obligé d'aller à la montagne, faute de pouvoir faire venir la montagne à lui. Contrairement à Anna qui ne faisait ni l'un ni l'autre mais qui disait simplement « Oust ! », et les montagnes disparaissaient. Et moi, qui savais maintenant que je n'étais pas cerné par des montagnes et que je pouvais aller et venir librement, il y a des moments — rares, heureusement — où je me demande si je n'ai pas reçu à la naissance un pavé sur la tête. J'ai le sentiment de porter la montagne sur mon dos, une montagne invisible. Un jour peut-être, je saurai marcher en liberté, la tête haute, j'espère.

Quant à mon problème des ICI et LA, voici l'explication :
« Où es-tu ? » dit Anna.
« Ici, évidemment », répondis-je.
« Et moi ? »
« Ben, là. »
« D'où connais-tu ces choses-là ? »
« Du dedans de moi, quelque part. »
« Alors tu connais mon centre dans ton centre. »
« Oui, peut-être. »
« Alors tu connais Mister God dans le centre de moi, du centre de toi, et tout ce que tu connais, tu le connais du centre de toi. Toutes les personnes et toutes les choses que tu connais ont Mister God au centre d'elles-mêmes, et toi, tu as leur Mister God au centre de toi aussi. C'est simple. »

Si le nécessaire suffit, le superflu est inutile, dit Monsieur de La Palisse, et il inventa le fil à couper le beurre. Dont Anna se réservait les autres applications.

Suivre la pensée d'Anna n'était pas de tout repos, surtout pour moi qui croyais en avoir terminé avec mon instruction. J'étais là, avec mes idées bien empilées, et on me forçait à les sortir pour les trier. Non, ce n'était pas facile. Comme le jour de mon initiation à la sexualité.

Un des grands avantages de la vie, dans l'East End, c'est la sexualité. (A cette époque, on écrivait encore sexe avec un petit « s ».) Par « avantage », j'entends que personne ne passait la moitié de sa vie à se demander s'il était né dans une ruche ou dans un nid de cigogne. Toute cette histoire de « petits oiseaux et de fleurs » était ici parfaitement inconnue. Personne n'avait de doutes sur ses origines. On avait peut-être été conçu parmi les choux, mais quant à y être né, pas question. La plupart des gosses connaissait les bons vieux mots de trois à six lettres bien avant de savoir lire ou compter. Et le sexe (avec un petit « s ») était à la place qui lui revenait, une place évidente, naturelle autant que l'air que l'on respire. Il n'avait pas encore enflé en majuscule, et posait moins de problèmes, sans doute parce que nous apprenions très tôt de quoi il retournait. L'apprenant beaucoup plus tard, peut-être aurions-nous eu besoin de la majuscule. Enfin, il ne s'agit pas ici d'orthographe ni de typographie, il s'agit de la manière dont Anna découvrit la SEXUALITE, celle qui ne prend que des majuscules.

Ce n'est pas qu'elle se soit posé des questions sur le tran-tran usuel de la sexualité, parfaitement clair pour elle. Car enfin, des bébés étaient des bébés, quelle que soit leur espèce. Bébé-chatons, bébé-agneaux, bébé-choux. Ce qu'ils avaient en commun, c'était d'être neufs, tout neufs. Ils étaient « nés-œufs », comme disait Anna, c'est-à-dire qu'ils avaient été pondus et couvés avant d'éclore. Et cela ne s'appliquait-il pas aux idées ? et aux étoiles ? et aux montagnes ? Il était indiscutable que les mots engendrent entre eux des idées neuves. Cela voulait-il dire qu'ils avaient un rapport avec la sexualité ? Je ne sais combien de temps Anna passa sur ce problème. Des mois, peut-être. Une chose est sûre, elle n'en avait pas encore fait le tour, sinon, elle aurait déjà fait éclater sa découverte.

Par une coïncidence heureuse, j'étais présent le jour où elle fit sa percée. C'était un dimanche après-midi, à la suite d'une séance de catéchisme assez décevante. Danny et moi bavardions avec Millie autour d'un lampadaire. La rue fourmillait de gosses qui jouaient à la marelle et à la balle au prisonnier, pendant que quatre ou cinq plus petits se

lançaient un gros ballon jaune. Le jeu ne dura guère, le ballon n'étant pas calculé pour résister au poids de cinq mômes à la fois. Il éclata. Millie fonça pour éponger les larmes et prodiguer le réconfort à la ronde. Danny se retrouva embauché pour former une nouvelle équipe de balle au prisonnier. Quant à Anna, elle avait interrompu sa comptine de balle-au-mur et ramassé le ballon crevé. Elle dériva jusqu'à moi et s'assit au bord du trottoir. Tout en rêvant, elle étirait les restes du ballon entre ses doigts et lui donnait toutes sortes de formes.

Soudain, je l'entendis. Le petit claquement de langue contre le palais d'Anna, signe que sa machine intellectuelle tournait à plein rendement. Je regardai. Elle avait coincé une extrémité du ballon entre sa semelle et le pavé, elle tirait dessus d'une main et enfonçait dedans son index droit.

« C'est drôle », murmura-t-elle. Sous ses yeux fascinés, il aurait fallu que le caoutchouc se solidifiât pour tenir la pose.

« Fynn ? »

« Quoi donc ? »

« Tu veux bien tirer là-dessus ? »

Je m'accroupis près d'elle et pris le ballon.

« Maintenant, tire dessus. »

J'étirai le caoutchouc et elle y enfonça son doigt.

« C'est drôle. »

« Qu'est-ce qui est drôle ? »

« De quoi ça a l'air ? »

« Ça a l'air de ton doigt dans un ballon crevé. »

« Ça a l'air d'un machin d'homme ! »

« Si on veut. »

« Et d'une machine de femme, de l'autre côté. »

« Ah ? Montre voir. » Je regardai. C'était plausible.

« C'est drôle, non ? »

« Qu'est-ce qui est si drôle ? »

« Si je fais une seule chose », elle enfonça son doigt de nouveau, ça fait un machin d'homme, et de femme, d'un seul coup. Tu ne trouves pas que c'est drôle, Fynn ? »

« Ouais. T'en as deux pour le prix d'un. C'est marrant. »

Et elle repartit jouer avec les autres.

Il devait être trois heures du matin quand je la vis debout près de mon lit.

« Fynn, tu dors ? »

« Oui. »

« Bon, je croyais que tu dormais. Je peux venir ? »

« Si tu veux. »

Elle se glissa dans le lit.

« Fynn, l'église, c'est comme le sexe ? »

Pour être réveillé, du coup, je l'étais !

« Qu'est-ce que tu veux dire, l'église c'est comme le sexe ? »

« L'église met des graines dans l'esprit, et cela fait naître des choses. »

« Ah ! »

« C'est pour ça que nous avons *un* Mister God et pas *une* Missis God. »

« Ah oui ? »

« Peut-être bien. Elle poursuivit. Je crois que l'école aussi, c'est comme le sexe. »

« Tu ferais bien de ne pas dire ça à Miss Haynes. »

« Pourquoi ? Les leçons sont des graines, qui font naître autre chose. »

« Mais non, ce n'est pas le sexe, c'est de l'instruction. Le sexe, c'est pour faire des bébés. »

« Pas toujours. C'est pas vrai. »

« Comment ça ? »

« Eh bien, si d'un côté c'est un homme, et de l'autre côté une femme. »

« De l'autre côté de quoi ? »

« Je ne sais pas encore. Elle laissa s'écouler quelques secondes. Je suis une femme, moi ? »

« Presque. »

« Je ne peux pas avoir de bébés, hein ? »

« Pas encore tout à fait. »

« Mais des idées neuves, je peux en avoir, hein ? »

« Ah ça, c'est sûr ! »

« Eh bien, c'est un peu comme avoir un bébé, tu ne trouves pas ? »

« Peut-être. »

La conversation s'interrompit là et je restai éveillé une bonne demi-heure avant de me rendormir. Brusquement, je me sentis secoué et Anna me demanda :

« Tu dors, Fynn ? »

« Plus maintenant, non. »

« Si ça sort c'est une femme, si ça entre c'est un homme. »

« De quoi ? »

« N'importe quoi. »

« Ça, c'est joli ! »

« Hein, c'est pas passionnant ? »

« Palpitant. »

« Comme ça, tu peux être homme et femme en même temps. »

Je voyais ce qu'elle avait en tête. L'univers a quelque chose de sexuel. Il ensemence et engendre en même temps. Les semences de mots engendrent des idées. Les semences d'idées engendrent Dieu sait quoi. Et tout le bataclan est mâle et femelle à la fois. Tout cela est SEXUALITE pure. Nous en avons isolé un aspect sous le mot « sexe », et en avons brisé la spontanéité en le nommant Sexualité. Mais c'est nous qui sommes fautifs, non ?

Chapitre cinq

Les deux premières années, Anna fut ma joie, ma fierté et ses faits et gestes pour moi un perpétuel amusement. Les gens m'accueillaient en annonçant : « Devine ce qu'Anna a fait aujourd'hui », « Devine ce qu'elle a dit ce matin ». Et moi, je souriais des exploits de cette enfant. La différence d'âge d'elle à moi me donnait pour sourire le recul nécessaire. Mon sourire était bienveillant, affectueux. Bien sûr, je me croyais nettement plus haut perché sur l'échelle de l'entendement, et de haut on peut toujours s'offrir le luxe d'être magnanime. Tous, nous nous bousculions pour faire notre petite escalade personnelle, aux prises avec des problèmes que nous avions tant bien que mal résolus. Il y avait de quoi sourire et faire les généreux. Nous étions bien placés, de cette altitude, pour donner des conseils à ceux qui se débattaient en bas.

Cela, les deux premières années, qui ne furent d'ailleurs pas perdues. Anna semait ses perles à la ronde et j'en ramassai une bonne quantité, mais pas toutes. Toutes celles que je n'ai su prendre, ne les ai-je pas, depuis trente ans, piétinées dans le sol ? S'il est vrai que chaque seconde de notre vie est enregistrée dans notre cerveau, je me console. Mais dans quelle cellule, dans quelle circonvolution, se cachent-elles, ces perles négligées ? Je n'ai jamais trouvé la clef de ces souvenirs secrets, seulement de temps à autre, un détail ou un mot me reviennent, et ma mémoire ramène une perle.

Quand je pense que pendant deux ans, je me suis contenté du pain rassis de la culture alors que, sous mon nez, Anna pétrissait des idées toutes neuves en un pain frais et croustillant. Sans doute pensais-je alors qu'un pain devait avoir l'aspect d'un pain. *Un pain,* et *du pain* étaient pour moi synonymes, je n'avais pas encore fait la différence. Je retrouve dans un coin de ma mémoire le mouvement de honte et de colère, le sentiment de temps perdu qui m'accabla quand je pris conscience de ce qu'était *du pain,* au-delà des mille formes qu'on lui donne. Je n'avais pas saisi que ses diverses formes n'avaient aucun rapport avec la valeur nutritive du pain, que les formes n'étaient que conventions. Mais mon éducation n'avait-elle pas été centrée sur des formes ? Il m'arrivait de piquer des rognes solitaires à la simple question « Dans quelle mesure ton éducation ne t'a-t-elle appris que des conventions ? » ; mais c'est une question qu'on ne pose pas. D'ailleurs, qui gaspillerait son temps à y répondre ? Car la réponse n'est pas dans le passé, elle est devant moi. Sur la carte d'exploration que m'a laissée Anna, certaines zones ont été découvertes, d'autres seulement repérées, mais la plupart sont désignées de flèches « à explorer ».

Le soir même où je découvris la nature de mes rapports avec Anna, je commençai à discerner qui elle était, ou du moins comment les choses se passaient en elle.

C'était au début de l'hiver, un jour sombre. Nous étions seuls à la cuisine. Les volets étaient fermés. Le bec de gaz sifflait sa flamme blanche, et la cuisinière, que l'on venait de recharger au charbon, crachait ses feux follets entre les grilles du foyer. Sur la table de la cuisine, un poste de radio à moitié monté, des boîtes contenant des pièces de toutes sortes, une lampe à acétylène, un fer à souder et un fouillis d'outils, de lampe radio et de tout ce que vous voudrez. Anna était à genoux sur une chaise, les coudes sur la table et son menton reposait dans le creux de ses mains. Installé en face, je tâchais de maintenir la balance égale entre les trois objets de mon attention, à savoir, le montage du poste de radio, Anna, et les ombres qui dansaient au mur. A mesure que le charbon venait à incandescence, des gaz s'en échappaient et s'enflammaient d'un coup. La flamme claire imprimait l'ombre d'Anna sur le mur et, aussitôt épuisée, disparaissait tandis qu'une autre prenait le relais.

L'explication était simple, mais l'effet restait un peu mysté-

rieux. L'ombre était à côté du tableau, puis la voilà près de la porte et la voilà sur les rideaux. Dans le vacillement des flammes, l'ombre semblait posséder une pulsation de vie indépendante et se mouvoir à sa guise d'un lieu à l'autre sans transition. Elle était là, et elle n'y était plus. On eût dit qu'elle jouait. Mes yeux passaient de l'une à l'autre, puis aux trois ensemble, puis à rien. Deux secondes après, il y en avait deux. Quelque chose s'émut à l'intérieur de moi, mais trop profondément pour que je sache quoi. Anna leva la tête, vit les ombres, sourit. Le manège tournait, tourbillonnait. Ce qui m'avait ému se dissipa, laissant au fond de mon être, quelque part, un petit appel d'air, un trou.

La radio se constituait pièce par pièce dans un silence que troublait seulement le léger crépitement du fer sur la soudure. Je testai l'ensemble, puis je branchai les lampes et connectai les piles. Après une dernière vérification, j'envoyai le courant. Rien ! C'est le genre de choses qui arrivent. Réglage du voltmètre sur la bonne tension, une mesure, deux mesures. Ah, voilà où ça cloche ! Dessouder ici, mettre le voltmètre à la lecture des intensités, introduire cet ampèremètre dans le circuit, brancher. Eh bien, ça n'était qu'une erreur idiote, vite rectifiée. Mais Anna avait posé sa main sur la mienne et elle fronçait le sourcil.

« Qu'est-ce que tu as fait avec ça ? » Elle désignait le volt-ampèremètre.

« J'ai trouvé ce qui clochait. »

« Refais-le, s'il te plaît. »

Ses yeux restaient rivés à l'instrument de mesure.

« Comme tu viens de faire, exactement. »

« Tu veux dire que je dois remettre l'erreur où elle était, après le mal que j'ai eu à la trouver ? »

Elle acquiesça. Je remis l'erreur où elle était.

« Et maintenant ? » demandai-je.

« Maintenant, fais tout ce que t'as fait avant, mais cause en même temps. »

« Mais ma mignonne, si je dis tout ce que je fais, tu ne pigeras pas un mot. »

« C'est pas les mots que je veux. C'est autre chose. »

« Bon. Je commence par régler le voltmètre sur la tension et je le mets à cette résistance pour avoir la différence de potentiel ici. » Mon doigt désignait les plots à mesure que je parlais. « Ensuite, je recommence un peu plus bas, et le voltmètre me donne la bonne tension. »

Parvenu à la partie fautive, je branchai le voltmètre, et Anna put constater que l'aiguille n'indiquait plus du tout la même chose.

« C'est là que ça cloche », m'écriai-je. « Donc, je vais dessouder ce bout-là, avec l'ampèremètre je vais mesurer l'intensité du courant, et on verra bien. »

Je défis la soudure en disant : « J'introduis l'ampèremètre à l'intérieur du circuit, et — les carottes sont cuites ! — pas de jus ! »

Elle avança les mains, et je lui donnai la permission de décrocher les fils, puis de les renouer — ce qu'elle fit lentement, soigneusement. Pas de courant. Je remis tout en place, raccordai, rebranchai et, après quelques mises au point, la musique envahit la pièce.

Vers deux heures du matin, le cliquetis des anneaux de rideaux me réveilla. A la clarté du réverbère, je vis Anna. C'est drôle que le son des anneaux suffit à me tirer du sommeil. D'autant plus drôle que nous habitions pour ainsi dire sur la voie de chemin de fer. Alors que les express, entrant par une oreille et ressortant par l'autre, n'ébranlaient même plus nos rêves, le plus petit heurt d'un anneau contre l'autre, et j'étais réveillé. Quant à Bossy et Patch, cela faisait deux ans qu'ils s'étaient constitués en garde personnelle d'Anna et accomplissaient scrupuleusement leur mission d'avant-garde et d'escorte. Bossy, toujours aussi crâneur, en qualité d'éclaireur de pointe, atterrit pesamment sur mon ventre, tandis que Patch se disculpait de son manque d'audace en se retournant sans cesse pour voir si Anna suivait.

« T'es réveillé, Fynn ? »

« Qu'est-ce qu'il y a, Pitch' ? »

« J'en ai marre. »

« Oh ! »

Petit sanglot. Les deux gardes du corps se réunirent sur ma poitrine pour demander des directives.

Les reniflements durèrent encore le temps que j'examine, dans les événements des derniers jours, ce qui aurait pu causer ces larmes. Enfin, elle demanda :

« Tu l'as mise au milieu ? »

« Quoi donc, au milieu de quoi ? »

« Le bout que tu as défait. »

« Ah bon, je me souviens. Le bout de circuit que j'ai dessoudé ? »

« Oui. Tu as mis la boîte au milieu ? »

« Oui. » Je commençais à deviner sa pensée. « C'est comme si je l'avais mise au milieu. Pourquoi ? »

« Ben, c'est drôle. »

« Tordant, dis-je. Qu'est-ce qui est drôle ? »

« C'est comme l'église et Mister God. »

« Ah bon. Et c'est drôle ? »

« Mais oui. Vraiment. »

A deux heures du matin, il arrive que les vilebrequins de mon cerveau soient légèrement grippés. Apparemment, c'était le cas. Pour retrouver la forme, il eût fallu se lever, mais il faisait un froid de canard. J'allumai donc une sèche. Les vapeurs du tabac firent pression sur les bielles, le moteur cérébral toussa, et démarra. Je passai en première. Comparer l'église-et-Mister-God à la réparation d'un poste de radio, voilà qui était un peu raide, et sur cette pente, à deux heures du matin, mes freins risquaient de lâcher. Enfin, comme la machine était en branle, je me résignai à suivre. « Bon. Aller à l'église, c'est comme de réparer un poste. D'accord. D'accord. Mais vas-y doucement et explique-moi ça len-te-ment. »

« Eh ben, d'abord tu mets la boîte au-dehors, et après tu la mets au-dedans. C'est comme les gens à l'église. Ils restent au-dehors au lieu d'aller au-dedans. »

« Si tu pouvais dire les choses plus clairement. Coupe-les en petits morceaux que je comprenne. »

Elle se détendit et son esprit se mit à choisir des expressions simples, adaptées aux facultés d'une grande personne.

« Quand tu as mis la boîte la première fois, c'était pour quoi ? »

« Pour mesurer la tension. »

« Au-dehors ? »

« Bien sûr. La tension se mesure de l'extérieur du circuit, en parallèle. »

« Et la seconde fois ? »

« Là, j'ai mesuré l'intensité. »

« Au-dedans ? »

« Oui, du dedans. Il faut se mettre dans le circuit, en série, pour mesurer l'intensité. »

« C'est bien comme les gens à l'église, non ? »

Comme elle savait parfaitement que je n'y étais pas, elle poursuivit.

« Quand les gens, dit-elle lentement, vont à l'église »,

et elle s'arrêta pour laisser les mots prendre leur place, « ils mesurent Mister God *du-dehors.* » Et elle me gratta les mollets avec ses orteils pour bien souligner les faits. « Ils n'entrent pas *dedans* pour mesurer Mister God. »

Patiemment, elle attendit pour voir si ces idées produisaient quelque part, une étincelle.

Dans la nuit, l'express continental se ruait vers la gare de Liverpool, sifflant désespérément son désir de sommeil. En passant devant ma fenêtre, la note baissa d'un ton, comme pour me persifler. Les wagons-lits moelleux scandaient leur berceuse, tiguedigue da, tigue di, tigue da, tiguedigue da, tu l'as dans le baba, tu l'as dans le baba. Tout le monde s'en prenait à moi. Oui, je l'avais dans le baba. Enfin, deux de mes cellules corticales, en se poussant du coude, réveillèrent une luciole d'imagination. Oh, ce ne fut pas une illumination, mais je distinguai quelque chose, oui, quelque chose. Récemment, j'avais lu Thomas d'Aquin, sans trouver évoquée nulle part la réparation des postes de radio. Je le priai donc de se mettre un peu de côté pour faire place à Anna. Quelques questions de-ci de-là, et la réponse prit forme.

Un prétendu chrétien peut, du dehors, mesurer Mister God. L'appareil ne donne pas de volts mais « Amour, Bonté, toute-puissance, éternité, etc. » Et les étiquettes ne manquent pas. Jusque-là, tout va bien. Et maintenant ? Maintenant, je dessoude du bout du circuit chrétien et j'introduis dedans l'appareil de mesure, c'est-à-dire moi-même. Ça ne paraît pas sorcier, mais attendez voir ! Qui a dit : « Soyez comme votre père céleste. » Faites-le taire. J'y suis presque. Si je suis *dedans* le circuit chrétien, alors j'en fais partie, je participe à Mister God, je suis au courant de Mister God.

« Tu veux dire que si je me prends pour un chrétien, je peux mesurer Dieu du-dehors et dire qu'il est amour, toute-puissance et tout et tout, mais en fait, je suis une nouille. »

« C'est des phrases pour les gens. »

« Ben moi, je fais partie des gens. »

« Alors, tu devrais le savoir. »

« Quoi ? »

« Qu'c'est des phrases. »

Je tentai de poursuivre.

« Et si j'entre dans le circuit pour mesurer Mister God, alors là, je suis un vrai chrétien ? »

Elle fit non de la tête.

« Tu pourrais t'appeler Abrah. »

« Il est juif. »

« Ou bien Ali. »

« Qu'est-ce que tu racontes ? C'est un sikh. »

« Ça fait rien du tout. Si tu mesures Mister God du-dedans. »

« Pas si vite ! Et qu'est-ce que je mesure si je suis dedans ? »

« Des clopinettes. »

« Comment, des clopinettes ? »

« Parce que tu t'en fiches. Tu fais partie de Mister God, c'est toi qui l'as dit. »

« J'ai jamais dit ça. »

« Bien sûr que si. Tu as dit que la boîte en faisait partie quand elle était branchée dedans. »

C'est vrai. Je l'avais dit.

Il y avait au moins une chose dont Anna ne doutait pas, c'est que Mister God eût tout fait, qu'il n'y avait rien qu'il n'eût créé. Et il suffisait de bien observer les choses, de bien voir comment elles marchent, comment elles s'articulent, pour avoir une idée de ce qu'est Mister God.

Ces derniers mois, j'avais compris qu'au fond, Anna ne s'intéressait guère aux propriétés des choses. Car ces propriétés sont bêtement dépendantes des circonstances. L'eau est liquide... à moins qu'elle ne soit solide ou gazeuse. Et les propriétés de la glace ne sont pas celles de la vapeur. Les propriétés de la pâte sont loin d'être celles du pain. C'est la cuisson, circonstance banale, qui fait la différence. Pourtant, Anna n'aurait pas rêvé de mettre les propriétés au rebut. Elles avaient leur utilité, mais comme elles étaient à la remorque des circonstances, il était vain de les prendre en filature. La piste à suivre était celles des fonctions. Quand on mesure Mister God du dehors, on lui trouve un nombre indéfini de propriétés ou attributs, parmi lesquels on fait un choix qui incline vers telle ou telle religion. Alors que, du-dedans de Mister God, on trouve la fonction et on se rend compte que nous sommes tous semblables : pas de différence de l'église au temple et à la mosquée. Tous, nous sommes semblables.

« Et la fonction ? », dites-vous. Oh, celle de Mister God est simple comme bonjour. La fonction de Mister God est de faire en sorte que vous l'aimiez. Alors, plus question de mesurer, n'est-ce pas ? Comme disait Anna, « Si tu l'es, tu ne le sais pas, hein ? Tu crois que Mister God sait qu'il est bon, hein ? ». Anna considérait Mister God comme un gentleman accompli, et l'on n'a jamais vu un gentleman se vanter de sa bonté. S'il l'avait fait, ce n'aurait plus été un gentleman. La contradiction saute aux yeux, non ? Je sais qu'à la lumière du jour, le scepticisme revient, mais la nuit, avec un angelot blotti contre vous, tout cela paraît très convaincant. Bref. La fonction de Mister God est de se faire aimer. Les religions sont différentes façons de mesurer les propriétés ou attributs de Dieu. Mais la couleur, la confession n'ont vraiment pas d'importance. Mister God, en soi, n'a pas de préférence.

Au lieu de nous rendormir, nous continuâmes à bavarder de choses et d'autres.

« Et Miss Haynes ! »

« Qu'est-ce qu'elle a, Miss Haynes ? »

« Elle est zinzin. »

« Pas possible, elle est institutrice. Si tu es zinzin, tu ne peux pas être maîtresse d'école. »

« Elle est vraiment zinzin. »

« Qu'est-ce qui te fait dire ça ? »

« Elle dit que je peux pas tout savoir. »

« Je crois bien qu'elle a raison. »

« Pourquoi ? »

« Parce que tu n'as pas la caboche assez grosse. »

« Mais ça, c'est le *dehors*. »

« Excuse ! J'avais oublié. »

« *Dedans,* je peux tout savoir. »

« Ah bon ? »

« Combien y a-t-il de trucs au monde ? »

« Des fourmillions. »

« Plus que de nombres ? »

« Non, il y a plus de nombres que de trucs. »

« Les nombres, je les sais tous. Pas le nom de tous les trucs, ça c'est le *dehors,* mais tous les nombres, c'est le *dedans.* »

« Peut-être bien. »

« Combien de fois ça se gondole-t-il, sur ton cilloscope ? »

« Des fourmillions de fois. »

« Alors, tu sais faire des fourmillions. »

« Oui. »

« Ça, c'est le *dedans.* »

« J'imagine. »

« Tu les as toutes vues se gondoler ? »

« Non. »

« Ça, c'est le *dehors.* »

Sacrée gosse ! Comment lui avouer qu'elle venait d'éclaircir une énigme qui m'avait longtemps préoccupé : « Pourquoi ne puis-je tout savoir ? » Et comme il était évident que personne ne pouvait tout savoir, pourquoi essayer ?

Nous continuâmes à bavarder. A mesure que le temps s'écoulait, je sentais en moi se modifier les choses. Des certitudes et des doutes s'empilaient les uns sur les autres. Des questions surgissaient et s'évanouissaient. Je sentais bien que je brûlais, mais j'avais peur de me commettre. Les phrases que je composais se retournaient contre moi et ce n'était pas juste. Si j'avais vu clair, ce serait à Anna de prendre l'initiative. Six heures du matin sonnèrent au clocher de l'église. Je lançai ma question. Il fallait que je sache.

« Combien de choses me caches-tu encore ? »

« Je te dis tout. »

« C'est vrai ? »

« Non », dit-elle tout bas en hésitant un peu.

« Et pourquoi ça ? »

« Il y a des choses que je pense, et qui sont très... »

« Bizarres ? »

« Ouais. Tu n'es pas fâché, hein ? »

« Non, pas fâché du tout. »

« J'avais peur. »

« Fallait pas. Bizarres comment, ces choses ? »

Je la sentis se raidir, ses doigts se plantèrent dans mon bras, me défiant de la contredire.

« Comme cinq et deux font quatre. »

Voilà que l'univers craquait aux entournures. J'avais raison. RAISON. Je savais parfaitement de quoi elle parlait. Aussi calmement que je pus, je livrai à mon tour mon secret.

« Ou dix ? »

D'abord, elle resta immobile. Puis, se tournant vers moi :

« Toi aussi », dit-elle à voix basse.

« Ouais, dis-je, moi aussi. Comment as-tu trouvé le tien ? »

« Dans le canal, le numéro des péniches, dans le canal. Et toi, comment as-tu trouvé le tien ? »

« Dans le miroir. »

« Dans la glace ? » s'écria-t-elle surprise.

« Dans une glace, ouais, comme toi dans l'eau. »

J'entendais presque les fers qui me tombaient des membres. Libération.

« Tu l'as dit à quelqu'un ? », demanda Anna.

« Une ou deux fois. »

« Qu'est-ce qu'ils ont dit ? »

« De pas faire l'idiot. Perdre mon temps. Et toi ? »

« Je l'ai dit une fois, à Miss Haynes. »

« Qu'est-ce qu'elle a dit ? »

« Que j'étais idiote. Alors j'ai plus rien dit. »

Et nous nous mîmes à rire ensemble, également libérés, allégés. Nous étions du même monde. Le même feu nous consumait. Nous étions ensemble sur la même route, allant dans le même sens. Enfin, nos relations m'apparurent clairement. Nous étions camarades, compagnons de recherche, esprits frères. Au diable l'avarice et la sécurité ! Allons-y voir de plus près, allons de l'avant. La même nourriture nous tente.

On nous avait bien dit qu'un « cinq » était un « cinq », et rien d'autre, mais le nombre 5, réfléchi par l'eau ou par une glace, devenait le nombre 2. Et cette réflexion ouvrait sur une arithmétique étrange, fascinante pour nous. Peut-être n'était-elle d'aucune utilité, mais tant pis. Le « cinq » n'était un « cinq » qu'en raison de l'usage et des conventions. Or la forme du 5 n'avait rien de particulier, on pouvait lui permettre de signifier n'importe quoi, pourvu qu'on s'en tînt aux règles une fois fixées, et l'on pouvait inventer des règles sans arrêt, ou presque. Alors, si nous perdions notre temps, pour nous, c'était différent. C'était une aventure à mener, une exploration à accomplir.

Anna et moi avions bien vu que les maths ne se limitaient pas à résoudre des problèmes. Que c'était une porte ouverte sur des mondes magiques, mystérieux, où la pensée déborde la raison, où l'on progresse pied à pied, selon des lois qu'il faut inventer à mesure, où l'on prend la responsabilité entière de ses actes. Mais c'était passionnant, et bien au-delà de l'entendement.

Je levai le doigt pour déclarer :

« Cinq et deux font dix. »

« Et quelquefois deux », répondit-elle.

« Ou peut-être même sept. » Qu'est-ce que ça peut bien faire ? Il y a des fourmillions de mondes à connaître. Nous reprenions haleine.

« Pitch', dis-je, debout. J'ai quelque chose à te montrer. »

J'empoignai le miroir à volet sur la table de toilette et

nous allâmes, à pas de loup, dans la cuisine. J'allumai le gaz. Il faisait sombre et froid, mais aucune importance, nous brûlions de l'intérieur. Je trouvai un grand carton blanc et y tirai un large trait noir. J'ouvris les miroirs comme un livre et les posai debout sur la table. Entre les miroirs, je couchai mon large trait noir et ajustai l'angle d'ouverture.

« Regarde ! » m'écriai-je en retenant mon souffle.

Elle regarda mais ne dit rien. Je commençai à refermer, très lentement, l'angle des miroirs et je l'entendis retenir un cri. Elle observait de plus en plus intensément, et la tension montait, montait. Elle allait exploser. J'avais maintenant refermé l'angle sur lui-même, et voici qu'elle éclata sur moi comme un obus, ses bras serraient mon cou à m'étrangler, ses doigts m'entraient dans le dos, elle criait et riait et me mordait. Les mots étaient à des années-lumière, dépassés. Pas un ne collait à l'événement. Jusqu'à la moelle, nous étions physiquement pompés. Mais notre esprit, notre âme, ne touchaient pas le sol. Pas une seconde.

Chapitre six

Nous tirâmes nos plans en avalant notre première tasse de thé. Nous irions au marché dès l'ouverture pour acheter une douzaine de miroirs chez Woolworth.

Quand nous arrivâmes sur la place du marché, les boutiques étaient encore fermées. Les marchands composaient leur étal à la lueur acide des lampes à acétylène. D'un bout à l'autre de la chaussée, on se lançait des quolibets, des ordres, à moins qu'on ne prononçât des oracles sur la journée commençante. On tapait la semelle sur le pavé pour écraser le froid comme un insecte. Des braseros, calés sur des briques, faisaient bouillir l'eau pour le thé. Et le kiosque à café émettait ses effluves de brioches chaudes et de café sur toute la place.

« Une tasse et une tarte au fromage, patron », dit le chauffeur de taxi.

« Pour moi, ça sera une tasse et deux beignets », dit son copain.

« Et toi, poulet ? » C'était mon tour.

« Deux tasses et quatre brioches. »

Je claquai mon argent sur le zinc et repêchai la monnaie dans la mare de thé du comptoir. Anna tenait sa tasse à deux mains et y plongeait le nez profondément, ses yeux vifs étincelaient par-dessus le rebord et ne perdaient pas une miette du spectacle. Comme elle ne pouvait pas tenir son thé *et* ses brioches, je les coinçai entre les doigts de ma main gauche. Elle n'aurait qu'à se servir. Je réussis à poser ma tasse sur l'étal voisin et à extraire une sèche de ma main libre. J'essayai d'enflammer l'allumette en la grattant de

l'ongle. Mais c'est un truc que je n'ai jamais su faire. Au mieux, la tête soufrée se détachait, coincée entre l'ongle et la chair, et allumée. On se doute que ce n'était pas le but de l'opération, et qu'il m'en avait cuit. Anna leva le pied et me tendit sa semelle. Je frottai. Autour de nous aussi, c'était le coup de feu.

« Garez-vous ! Attention ! Garez-vous ! »

Comme devant l'étrave d'un bateau, nous refluâmes sur le trottoir, puis nous rabattîmes, pendant qu'une voiture à cheval se frayait un sillon dans la foule ; le cheval fumait dans le froid du matin.

« Bébert ! », cria une dame en tablier de cuir, « Où as-tu foutu ces saloperies de choux ? » Et elle ajouta pour qui voudrait l'entendre : « C'est ma mort, ce type, il me poussera dans la tombe. »

« C'est une veine », dit quelqu'un.

L'homme-sandwich arriva, proclamant à la ronde : « La fin est proche », et il se commanda une tasse de thé.

« Bon sang, voilà l'ange de malheur ! »

« Hé, Joe, viens t'en jeter une bien chaude, c'est moi qui offre. » C'était le taxi.

« M'ci, chef », dit l'ange de malheur.

« Alors quoi, Joe, qu'est-ce que t'annonces de beau, aujourd'hui ? »

« La fin est proche », marmonna le vieux Joe.

« Tu me fous les chocottes, tiens. »

« Et la semaine dernière, qu'est-ce que c'était ? »

« Prépare-toi à être damné. »

« Mais qui est-ce qui te refile tous ces messages ? »

« C'est saint Pierre qui lui télégraphie. »

Du bout du comptoir, une voix de tonnerre cria à la cantonnade :

« Quel est l'enfant de salaud qui a fauché mes beignets ? »

« Tu les as sous le coude, imbécile. »

« Riri, surveille ta langue, y a une môme ici. »

Riri poussa au large du comptoir une main pleine de

beignets, et l'autre tenant une vraie bachole de thé. La bachole avait l'air d'un coquetier entre ses doigts.

« Salut môme, comment tu t'appelles ? » dit Riri.

« Anna. Et toi ? »

« Riri. T'es toute seule ? »

« Non, j'suis avec lui. » Elle me montra de la tête.

« Qu'est-ce tu fais par ici à c't'heure du jour ? »

« On attend que Wooly ouvre », expliqua Anna.

« Qu'est-ce t'achètes à Wooly ? »

« Des glaces. »

« C'est bon ça. »

« On va en acheter dix. »

« Pourquoi il t'en faut dix ? »

« Pour voir des tas de mondes différents », dit Anna.

« Ah, dit Riri sans trop se casser la tête, une vraie gourmande, pas vrai ? »

Anna sourit.

« Tu voudrais une barre de chocolat ? », demanda Riri.

Anna me regarda. J'acquiesçai.

« S'il vous plaît, monsieur. »

« Riri », corrigea Riri en agitant un index d'un kilo cinq cents.

« S'il vous plaît, Riri. »

« Arthur, cria Riri par-dessus son épaule, envoie deux barres de choc ! »

Arthur envoya et Riri attrapa.

« Voilà, Anna, des chocolats. »

« Merci », dit Anna.

« Merci qui ? » La voix de Riri monta en point d'interrogation.

« Merci Riri. » Elle défit le papier d'une barre et l'offrit en disant : « Prends-en un bout, Riri. »

« Merci Anna, un petit bout. »

Deux troncs d'arbres terminés par d'énormes jambons se braquèrent sur la barre, s'ouvrirent comme de gigantesques bananes, et cassèrent un bout de chocolat aux dimensions de Riri.

« T'aimes les chevaux, Anna ? », s'enquit Riri.

Anna admit qu'elle les aimait.

« Alors, viens voir mon Nobby », offrit Riri.

Nous tournâmes le coin d'une ruelle adjacente et Nobby était là, une bête de trait vraiment gigantesque, toute festonnée de cuivres, et sa robe luisait presque autant que les plaques rutilantes qui lui pendaient à l'encolure. Nobby se régalait d'un picotin, dans un sac d'au moins cent livres, qu'on lui avait accroché aux oreilles. A l'approche de Riri, Nobby souffla dans ses naseaux au fond du sac et nous disparûmes sous une averse de son et d'avoine. Riri ouvrit une bouche immense pour libérer une tornade de rire et de tendresse. Il n'y avait pas cinq minutes, il était prêt à assommer quelqu'un pour des beignets, — et nul doute qu'il eût aisément disposé de cinq ou six hommes faits. Et le voilà qui fondait complètement devant une petite fille et un cheval, comme un géant de contes de fées. Il remit à Anna une poignée de sucres pour Nobby.

« Il te fera pas de mal, Anna. Il ferait pas de mal à une mouche. »

« Et toi non plus, Riri, grande brute », pensai-je.

La lippe de Nobby se retroussa, exposant une rangée de pierres tombales, puis se rabattit souplement sur les morceaux de sucre qui disparurent. Après quelques minutes de conversation en langue cheval, Riri dit :

« Tiens, Anna, tu vas t'asseoir sur Nobby et causer avec lui pendant que je décharge. Et après, je te conduirai à Woolworth en bon équipage. »

Anna décolla du sol, transportée par l'un des régimes de bananes de Riri, et se posa sur le dos de Nobby. La princesse juchée sur son palefroi, Riri déchargeait. Les cageots

et les sacs valsaient comme des plumes. Quand il eut fini, il transféra Anna sur le siège et s'assit près d'elle. Moi, je m'installai sur le plateau arrière. Anna tenait les rênes. Quelques « Hu-dia ! », et nous démarrâmes. Nobby n'avait, je crois, rien à apprendre de personne, il connaissait sa route comme sa poche-picotin. Nous ne traversâmes pas le marché car la charrette avait des proportions aussi généreuses que Nobby et Riri : un vrai croiseur roulant. Elle s'immobilisa au coin.

« Woolworth ! » beugla Riri, en bondissant du siège avec « légèreté ». « T'es arrivée, Anna. »

« Merci, Riri », répondit Anna.

« Merci Anna », fit-il en souriant.

« A un de ces jours ! », cria-t-il au moment où Nobby prenait le tournant. Et nous les revîmes souvent, Riri et son cheval.

La chef de rayon chez Woolworth ne se laissa pas facilement convaincre qu'il nous fallait vraiment dix miroirs ; enfin, elle nous les tendit en me décochant : « Je pense que vous avez perdu la tête, jeune homme. »

Nous rentrâmes à la hâte avec notre butin et déblayâmes la table de la cuisine. J'articulai deux miroirs l'un à l'autre avec des bouts de toile encollés, comme on relie le dos d'un livre. Anna sortit le grand carton barré d'un fort trait noir et le plaça sur la table. On ouvrit le livre-miroir et on le posa debout sur le carton, la charnière en arrière, la ligne noire coupant le bout des « pages » écartées. Je me penchai pour régler l'angle des miroirs. La ligne sur le carton et ses deux images réfléchies formaient un triangle équilatéral. Anna observait. Je refermai un peu l'angle ; les lignes se brisèrent et se recoupèrent pour donner un carré. Anna était plongée dans le livre-miroir.

« Encore un peu », ordonna-t-elle.

Je fermai l'angle encore un peu et l'entendis compter : « Un, deux, trois, quatre, cinq. Il a cinq côtés. »

Puis, après un moment : « Comment ça s'appelle ? »

« Un pentagone », répondis-je.

Le livre continua de se fermer et je nommai les figures

l'une après l'autre — hexagone, heptagone, octogone — mais après décagone, je me trouvai à court et nous comptâmes simplement les côtés en disant : « Dixhuitgone », ou « Trente-sixgone ». Anna trouvait ce livre extraordinaire. Plus on le refermait, plus les figures étaient complexes, n'était-ce pas étrange ? Et qui plus est, ce n'était qu'une paire de miroirs. Si, dans un vrai livre, on avait pris une page pour chaque « -gone », alors c'est des millions de pages qu'il eût fallu, pardon, des fourmillions. C'était donc un livre magique. Avait-on jamais vu un livre contenir des fourmillions d'images, SANS PAGES ?

A mesure que le livre se fermait, nous nous trouvions bloqués. Il ne bâillait plus que de deux centimètres et nous ne pouvions pas y entrer pour voir ce qui s'y passait, donc nous reprîmes au commencement. Mais en arrivant au quant-a-gone, nous fûmes encore coincés. Impossible d'entrer. Que faire ?

Anna dit :

« Quand nous arriverons au fourmilliogone, ça sera un cercle. »

Mais comment y entrer ? Ce petit problème demanda un peu de réflexion et beaucoup de tâtonnements. Nous grattâmes le tain au dos d'un des miroirs pour faire une lucarne de verre de la taille d'un sou. Par ce trou on voyait à l'intérieur. Et c'était vrai, un « fourmilliogone » serait un cercle. Déjà il était difficile d'affirmer que ce n'en était pas un.

Puis il y eut un nouveau pépin. A mesure que le livre se fermait, la lumière baissait à l'intérieur. Anna voulait savoir ce qu'on voyait quand le livre était tout à fait fermé. Voilà qui était dur. Comment introduire une lumière dans un livre-miroir fermé ?

« On peut pas y mettre une lumière ? », dit Anna.

Allumettes et bougies ayant été éliminées, nous choisîmes finalement la torche électrique. Elle fut vite démontée et remontée, des fils soudés de l'ampoule à la pile. Nous introduisîmes l'ampoule dans le livre. Elle était un peu grosse, impossible de fermer tout à fait. La solution fut immédiate. Disposés parallèlement, à un centimètre de distance, les miroirs nous donnaient une approximation suffisante. Nous recouvrîmes l'appareil d'un tissu pour éviter que la lumière vienne brouiller les angles. Anna mit son œil au trou et réprima un cri.

« Il y a des millions de lumières », dit-elle tout bas. « Fynn, c'est une ligne droite ! »

J'avais eu la surprise dix ans auparavant, donc je m'y attendais. Je tendis la main par-dessus son épaule et, très doucement, serrai un côté des miroirs l'un contre l'autre.

Elle fit un bon en arrière. « Qu'est-ce que tu as fait ? »

Je lui montrai comment serrer les côtés.

« Ça fait le plus grand cercle du monde », s'écria-t-elle.

Pendant qu'elle contemplait le plus grand cercle du monde, je serrai les miroirs de l'autre côté. Le plus grand cercle s'aplatit et se reforma dans l'autre sens.

Le livre-miroir s'ouvrait et se fermait cent fois par jour. Des milliers d'objets s'y trouvaient introduits. Des schémas et des formes d'une complexité inouïe ne cessaient de nous surprendre.

Un après-midi, il y eut du nouveau. Anna écrivait des lettres capitales sur des cartons, elle les plaça à l'angle des miroirs et regarda dedans.

« C'est drôle. » Sa tête plongeait du miroir de droite au miroir de gauche, puis revenait. « C'est très drôle », se dit-elle à elle-même. « Le premier est la tête au pied, et le second est remis sur ses pattes. »

Certaines lettres réfléchies étaient renversées, et d'autres étaient sur leurs « pattes ». Elle élimina les lettres « la tête au pied » et se retrouva avec : « A H I M O T U V W X ».

L'air de rien, je vins m'asseoir près d'elle, fourrageai dans ses lettres et en tirai le A. Je posai la carte près d'elle et dressai un miroir simple sur la bissectrice de l'angle du « A ». Après m'avoir observé, Anna me prit le miroir des mains. Elle fit elle-même l'expérience sur plusieurs autres lettres et cela l'absorba pendant une bonne heure, enfin elle conclut :

« Fynn, si la moitié qui est dans la glace est la même

que la moitié qui est sur la table, la lettre ne change pas. Le " O " est rigolo parce qu'on peut le couper en deux dans tous les sens. » Et voilà Anna aux prises avec les axes de symétrie.

Nouveau jeu, et surtout nouvelles et merveilleuses découvertes. Certaines formes se retournaient, s'inversaient, d'autres pas. Nous fîmes un livre-miroir de poche avec de petites glaces que nous avaient données Millie et Kate, j'en garnis le dos avec des planchettes de bois pour éviter les accidents, et nous sortîmes avec dans la rue. Il nous suivait partout. Dès que nous apercevions dans les pavés une structure inattendue, nous tombions à genoux et sortions le miroir-livre. Nous y introduisions doucement des scarabées, des feuilles, des graines, des tickets de tram. Il y avait de quoi occuper une vie entière. Des ampoules de couleur créaient entre les glaces des spectacles étonnants. Pour quelques sous, nous faisions mieux que Picadilly Circus, Blackpool et Southend ensemble. Cela n'était pas seulement miraculeux, c'était utile : nous fîmes un cube de miroirs dont une face, munie de charnières, était pourvue d'un trou pour l'œil ; nous y fîmes la lumière et y suspendîmes des objets par un fil. Et qu'y voyait-on ? Sapristi ! On y voyait les objets sous tous les angles à la fois.

Je n'ai pas tenu le compte des miroirs achetés ou utilisés. Au moins cent. Toutes les formes géométriques y passèrent, ainsi que d'autres, dont Platon lui-même n'aurait pas rêvé. L'originalité des nôtres était que nous étions *dedans* et que nous y observions des choses que le langage aurait bien du mal à décrire. Nous découvrîmes des lois arithmétiques insensées, mais qui, dans l'univers des miroirs, étaient logiques. De ce côté du miroir, certes, rien ne tenait plus, mais tant que l'on était de l'autre, tant que l'on spéculait consciemment, tout allait bien.

Nous apprîmes à dessiner, écrire, calculer sur un bloc posé devant nous, sans regarder le bloc, mais son image réfléchie. La tension devenait parfois insoutenable, la concentration absolue, mais c'était possible.

Un soir, l'idée germa que le livre-miroir était mieux que

cela : un livre-miracle. Le dictionnaire nous dit que « miroir » venait du latin *mirari,* admirer, et « miracle » du latin *mirus,* merveilleux. Or nous savions que Mister God a fait l'homme à son image, se pourrait-il donc que...

« Peut-être qu'il a fait un grand miroir, Fynn ? »

« Pourquoi aurait-il fait ça ? »

« Je ne sais pas. Peut-être qu'il l'a fait. »

« Peut-être. »

« Peut-être que nous sommes de l'autre côté. »

« Ça, c'est une idée, Pitch' ! »

« C'est pour ça que nous nous trompons. »

« Eh oui, c'est pour ça. »

« Comme les nombres. »

« Les nombres ? »

« Oui, les nombres dans le miroir. »

« Comment ça ? »

« Ces nombres dans le miroir, ce sont des " qui s'enlèvent ", pas des " qui s'ajoutent ". »

« Je ne te suis pas, Pitch'. Où veux-tu en venir ? »

Anna prit un papier et un crayon. Elle écrivit : 1,2,3,4,5.

« Ça, c'est des " qui s'ajoutent " », dit-elle. « Si tu mets une glace sur le zéro, alors les nombres se retirent : — 1, — 2, — 3, — 4, — 5. C'est des " qui s'enlèvent " ! »

Jusque-là, je comprenais. Les nombres réfléchis étaient des « qui s'enlèvent ».

Elle poursuivit : « Les gens sont des " qui s'enlèvent ". »

« Attends ! » J'étendis le bras. « Je ne pige pas bien cette histoire de " qui s'enlèvent ". »

Elle sauta de sa chaise et revint, les bras chargés de livres. Elle se rassit et frappa plusieurs coups sur le plateau de la table. « Ça, c'est zéro », dit-elle. « Ça, c'est zéro, et ça, c'est la glace. »

« D'accord. Jusque-là, très bien. Ça, c'est le miroir. » Et je donnai de la main sur le bois. « Et après ? »

Elle posa un livre sur la table.

« Un qui s'ajoute », expliqua-t-elle en me fixant bien dans les yeux. J'acquiesçai. Elle plaça un second livre sur le premier.

« Deux qui s'ajoutent », j'acquiesçai encore.

« Trois qui s'ajoutent, quatre qui s'ajoutent. » Et la pile montait toujours plus haut. Quand elle fut bien assurée que j'avais compris, d'un bras, elle renversa la pile et la balaya de la table.

« Maintenant. »

Nous en venions sûrement à la difficulté.

« Où est, demanda-t-elle, le livre qui s'enlève ? » Elle pencha la tête et posa la main sur sa hanche.

« Tu peux me fouiller. Je ne l'ai pas », répondis-je.

A nouveau, elle frappa sur la table. « Il est là, là-dedans. »

« Pour sûr, dis-je, il est là-dedans. » Je n'avais aucune idée de ce qu'elle voulait dire, — et je le lui avouai.

« Un livre qui s'enlève, c'est un trou gros comme un livre, deux livres qui s'enlèvent, c'est un trou gros comme deux livres. C'est pas difficile. »

Ça n'était pas difficile pour qui avait compris. Je me lançai donc : « Alors, huit livres qui s'enlèvent, c'est un trou gros comme huit livres. »

Mais de son air magistral, elle poursuivait.

« Si tu en as " dix qui s'enlèvent " et " quinze qui s'ajoutent ", combien en as-tu ? »

Je jetai mes quinze livres « qui s'ajoutent » dans le trou et j'en vis disparaître dix. Il m'en restait cinq.

« Cinq », annonçai-je, « mais quel rapport avec les gens " qui s'enlèvent " ? »

Sous son regard de compassion je rapetissai d'un mètre cinquante et me retins à temps pour ne pas m'engouffrer dans le trou des « qui s'enlèvent ».

« Si les gens », elle soulignait chaque mot, « sont dans un miroir, alors, ce sont des gens " qui s'enlèvent ". »

Evident ! Il faut être idiot pour ne pas le voir. Nous savons tous que Mister God a fait l'homme à son image, et où sont ces images ? Dans des miroirs. Un miroir, ça vous retourne devant-derrière, droite-gauche. Ces images sont des « qui s'enlèvent ». Si bien qu'en somme, Mister God était et reste d'un côté du miroir, Mister God est du côté

« qui s'ajoute ». Nous, de l'autre côté, nous sommes dans le « qui s'enlève ». Nous aurions dû le savoir. Quand Maman dépose Bébé et recule de deux pas, c'est pour l'encourager à venir à elle. Mister God en fait autant. Mister God nous dépose du côté « qui s'enlève » et nous invite à venir du côté « qui s'ajoute ». Bien sûr, puisqu'il nous veut semblable à lui.

« Les gens " qui s'enlèvent " vivent dans des trous. »

« Faut bien, dis-je, des trous comment ? »

« Différents. »

« Voilà qui est clair. Différents comment ? »

« Des grands, des petits, continua-t-elle, avec des noms différents. »

« Des noms ? »

Elle parcourut les trous en lisant leur nom au passage.

« Glouton, Rusé, Cruel, Menteur, etc. » De notre côté du miroir, il n'y avait que des trous de profondeurs diverses, et des gens vivaient au fond. Et du côté de Mister God, il y avait des piles de tout ce qu'il faut pour boucher les trous, à condition qu'on songe seulement à en demander. Ces piles avaient également des noms : « Générosité, Bonté, Vérité ». Plus on remplit son trou, plus on s'approche du côté du miroir où est Mister God. Si, le trou une fois rempli, il nous reste quelque chose, alors, c'est que nous sommes vraiment passés du côté « qui s'ajoute ». Du côté de Mister God. Vous comprendrez, bien sûr, que lorsque Mister God regarde dans le miroir, il nous voit tous, alors que nous ne le voyons pas. C'est normal. Une image de miroir ne peut pas voir celui qui la regarde. Ou, comme dirait Anna : « Quand ton image te regarde, c'est toi qui la vois, hein ? » Parfois, il arrive que Mister God juge bon de s'occuper personnellement du trou de quelqu'un. Alors, il le remplit lui-même. C'est ce que nous appelons un « miracle » !

Mister God n'était jamais bien loin de notre conversation, et il ne cessait pas de nous époustoufler. Penser qu'il était capable d'écouter — voire de comprendre — toutes les prières dans toutes les langues ! Et s'il n'y avait que cela ! Mais Anna découvrait miracle sur miracle, et le plus miraculeux des miracles : qu'il nous ait donné le pouvoir de saisir ces merveilles. Anna pensait que Mister God était en train d'écrire l'histoire de sa création. Il avait déjà élaboré l'intrigue et savait parfaitement où il allait. En cela, évidemment, nous ne lui étions d'aucun secours, mais nous pouvions tourner les pages pour l'aider. Anna tournait les pages.

Un jour, je fus accosté par une dame catéchiste. La dame catéchiste me pria — non, m'ordonna — de dire à Anna de mieux se tenir. Je demandai ce qu'Anna avait fait de mal ou n'avait pas fait de bien et j'appris : premièrement, qu'Anna interrompait, deuxièmement, qu'Anna contredisait, et troisièmement, qu'Anna avait un mauvais langage. Il était vrai qu'Anna savait, à l'occasion, se servir d'un gros mot, mais j'essayai de dire à la dame catéchiste que si parfois Anna parlait mal, jamais elle ne parlait méchamment. Mon trait manqua complètement la cible. Bien sûr, j'imaginais qu'Anna l'avait interrompue, et contredite, mais en quelle circonstance, impossible de le savoir. J'en parlai donc à Anna le soir même. Je lui dis que j'avais rencontré la dame catéchiste, et ce qu'elle m'avait appris.

« Plus jamais j'irai au caté, jamais. »

« Et pourquoi ? »

« Parce qu'elle t'apprend rien de rien sur Mister God. »

« Peut-être que tu n'écoutes pas bien. »

« Moi si, c'est elle qui ne dit rien. »

« Tu crois vraiment que tu n'apprends rien ? »

« Si, quelquefois. »

« Ah bon. Qu'est-ce que tu as appris ? »

« La catéchiste, elle a peur. »

« Comment peux-tu dire ça ? Comment sais-tu qu'elle a peur ? »

« Elle veut pas laisser Mister God devenir grand. »

« Et comment la dame catéchiste peut-elle empêcher Mister God de grandir ? »

« Mister God, il est grand, non ? »

« Ouais. Mister God est très grand et très bon. »

« Et nous, nous sommes petits ? »

« Tout petits. »

« Et la différence, elle est grande ? »

« Tu parles ! »

« S'il y avait pas de différence, ça vaudrait pas le coup, hein ? »

Voilà qui m'embrouillait un peu. Cela devait se voir, puisqu'elle attaqua par un biais, cette fois.

« Si Mister God et moi, on était de la même taille, qu'est-ce tu dirais ? »

« Je vois ce que tu veux dire. Si la différence est grande, alors on voit mieux que Mister God est grand. »

« Pas toujours. »

Ce n'était donc pas si simple que ça. Graduellement, elle me fit comprendre que plus la différence est grande entre Mister God et moi, plus Mister God ressemble à Dieu. Et si la différence est infinie, alors Mister God entre dans l'absolu.

« Mais qu'est-ce que tout cela a à voir avec la dame catéchiste ? Est-ce qu'elle ne sait pas cela ? »

« Oh si. »

« Alors, où est le problème ? »

« Quand je découvre des choses, la différence grandit, et Mister God aussi grandit. »

« Oui ? »

« La catéchiste, elle fait grandir la différence, mais Mister God reste pareil. Parce qu'elle a peur. »

« Attends un peu. Comment ça se fait que la différence augmente, et que Mister God reste pareil ? »

La réponse m'échappa presque. Elle la lança avec désinvolture et sans élever le ton, tranquillement.

« Elle rapetisse les gens. »

Et elle enchaîna.

« Pourquoi est-ce qu'on va à l'église, Fynn ? »

« Pour mieux comprendre Mister God. »

« Moins. »

« Moins quoi ? »

« Pour moins comprendre Mister God. »

« Attention ! Là tu déraillles. »

« Non. »

« Si. »

« Non. On va à l'église pour rendre Mister God vraiment grand, alors on ne le comprend vraiment plus, et à ce moment-là, on le comprend. »

Elle était tout de même un peu déçue de voir combien j'étais dépassé, complètement dépassé, mais elle expliqua.

Quand on est petit, on « comprend » Mister God. Il trône là-haut, sur un trône d'or, bien sûr, il a une barbe et une couronne, et tout le monde lui chante des cantiques. Dieu est utile, on peut s'en servir. On peut lui demander des choses, il ne fait qu'une bouchée de ceux qui nous embêtent, il peut jeter un sort, les oreillons par exemple, à cette grande brute de voisin. Mister God est « compréhensible », utile, pratique, comme un objet, le plus important des objets peut-être, mais on le *comprend*. Plus tard, on « comprend » qu'il n'est pas tout à fait comme ça, mais on arrive encore à s'en faire une idée. Seulement, si nous, nous le comprenons, lui n'a plus l'air de nous comprendre. Par exemple, il n'a pas l'air d'avoir compris que nous voudrions bien un vélo neuf. Et notre « compréhension » se modifie peu à peu. Quoi qu'on fasse, quand on « comprend » Mister God, on le rapetisse. Il devient une chose compréhensible parmi d'autres. Ainsi, à mesure que nous prenons de l'âge, l'image de Mister God ne cesse de se défaire, jusqu'au jour où nous avouons franchement, honnêtement, que nous ne comprenons rien à Mister God. Ce jour-là, nous avons laissé Dieu prendre sa vraie dimension. Et pan ! Voici qu'il se penche sur nous, et nous sourit.

Chapitre sept

Anna s'intéressait à tout, se passionnait pour tout. Son intérêt était si profond que ni la surprise, ni la peur, ni le sentiment d'étrangeté n'avaient de raison d'être. Elle était disponible, entièrement. Mais il lui arrivait de rencontrer des choses pour lesquelles elle n'avait pas de mot. Alors, elle en inventait un, soit un tout neuf, soit un vieux à qui elle donnait un tour nouveau. Comme la nuit où elle m'apprit que « la lumière, elle éclatait ».

Bien sûr, j'aurais dû savoir que la lumière éclate, mais je ne le savais pas. Il fallut donc sortir dans la rue sombre, armés d'une lampe-torche et d'un mètre-ruban. A l'aide d'une poubelle et du mur du chemin de fer, démonstration me fut faite de l'éclatement de la lumière. La vitre de la lampe avait un diamètre de dix centimètres. Elle fut posée sur la poubelle, et son faisceau dirigé vers le mur. Nous mesurâmes la largeur du faisceau : un peu plus d'un mètre. Puis nous reculâmes poubelle et torche de quelques pas. Nouvelle mesure du faisceau : plus d'un mètre cinquante. Vraiment, la lumière éclatait.

« Pourquoi, Fynn ? Pourquoi ça fait ça ? »

Rentrés à la maison, je sortis un crayon, du papier, et j'expliquai.

« Tu peux pas faire qu'elle n'éclate pas ? »

Alors nous parlâmes de réflecteurs et de lentilles. Et tout cela, elle l'avalait, l'assimilait, et le mettait de côté en prévision d'une éventualité ignorée.

Le livre-miroir, avec sa manière de retourner les choses et de les inverser, droite-gauche, devant-derrière, avait enseigné à Anna une nouvelle méthode d'exploration des faits. Que certains de ces faits fussent imaginaires n'y changeait rien car Anna savait parfaitement ce qu'était un fait.

Un fait, c'est l'écorce dure qui enrobe une signification, et une signification, c'est la pulpe vivante qui se cache dans le fait. Le fait et la signification sont comme les arbres moteurs de la vie. Si le pignon du fait entraîne le pignon de la signification, les deux tournent en sens contraires, mais s'il y a entre eux le pignon de l'imagination, alors ils tournent dans le même sens. L'imagination est très importante. Elle mène Dieu sait où, mais suivez-la un peu et vous verrez. Parfois cela vaut le risque.

Le livre-miroir retourne de gauche à droite, pourquoi ne pas en faire autant ? Newton avait sa loi, Anna la sienne. La loi d'Anna était : retourne d'abord à l'envers, puis la tête aux pieds, puis devant derrière, puis de gauche à droite, et enfin, regarde attentivement ce que c'est.

« Fynn, tu sais que " lord ", écrit à l'envers, ça fait " drôle " ? Un lord, c'est plutôt sérieux, non ? Ça doit avoir un sens, tu ne crois pas ? Et " cor ", à l'envers, fait " roc ", mélange-les, ça fait " croc ". Et " tort " fait " trot ", " un " fait " nu ", " fois " fait " soif ", " cas " fait " sac ". Si je " relate " une histoire à l'envers, je vais l'" étaler ". Et le contraire de " non " à l'envers, c'est " non ". " Eté " n'a pas d'envers mais il a un hiver. Et Anna à l'envers, ça fait Anna. Tout ça ne veut rien dire, c'est par hasard, mais c'est amusant. »

Les mots se mirent à vivre. Anna les démontait et les réassemblait. Elle apprenait leur mécanisme. Non, elle n'inventa pas d'étymologie, mais elle découvrit la vie des mots et leur usage.

Anna peignait aussi. Ce n'était pas des toiles de maîtres, j'en conviens. Mais elle s'imposait un sérieux handicap. Elle peignait en portant des lunettes rouges, et puis, elle les ôtait pour rire du résultat. « Fynn, tu veux me faire des lunettes bleues ? » Et elle peignait une nouvelle « œuvre ». On n'accrochait jamais ses tableaux aux murs, ils n'étaient pas faits pour cela. C'étaient des expéditions au royaume du

regard. Qui oserait affirmer qu'une rose rouge ne voit rien ? Pourquoi, oui pourquoi ne verrait-elle pas, entre ses pétales et le vert de ses feuilles ? Alors, il fallait tenter de deviner ce qu'elle voyait.

Moi, le matheux, j'observais la rencontre d'Anna et des mathématiques. Ce fut le coup de foudre. Les nombres étaient beaux, les nombres étaient drôles, ils étaient sans conteste « les affaires de Dieu ». Il fallait donc les traiter avec respect. Evidemment les affaires de Dieu étaient très difficiles à démêler. Mister God avait dit à chaque nombre qui il était et ce qu'il avait à faire. Et les nombres connaissaient exactement leur place dans l'organisation générale du monde. Parfois, Mister God s'amusait à cacher ses nombres dans des opérations, ou dans un livre-miroir, et ce n'était pas une mince affaire que de les reconnaître.

Pourtant, la passion d'Anna pour les nombres subit une longue éclipse dont j'ignorai la cause jusqu'à ce que Charles me l'apprît. Charles enseignait à la même école que Miss Haynes. Et Miss Haynes enseignait le calcul. L'application d'Anna en classe laissait à désirer, je l'appris plus tard. Lors d'une leçon de calcul, Miss Haynes décida d'interroger Anna.

« Si, dit Miss Haynes, tu plantes douze fleurs par rangée

sur douze rangées, combien as-tu de fleurs ? » Pauvre Miss Haynes ! Si seulement elle avait demandé à Anna « Douze fois douze ? », elle aurait eu sa réponse, mais voilà qu'elle s'embarquait dans les fleurs et les rangées. Miss Haynes eut sa réponse, mais ce n'était pas celle qu'elle eût voulue.

Anna renifla, signe de réprobation absolue.

« Si répondit Anna, vous plantez des fleurs comme ça, c'est que vous êtes pas cap' d'avoir des fleurs du tout. »

Miss Haynes était solide et la réponse ne l'ébranla pas. Elle fit une seconde tentative.

« Tu as sept bonbons dans une main, et neuf bonbons dans l'autre main. Combien de bonbons as-tu en tout ? »

« Zéro, dit Anna, j'ai zéro dans cette main et zéro dans l'autre, alors ça fait zéro et c'est un mensonge de dire que j'en ai. »

La brave Miss Haynes fit une troisième tentative.

« Mais imagine, ma petite, fais semblant. »

Sur ces conseils, Anna « fit semblant » et livra sa réponse :

« Quatorze. »

« Mais non, ma chérie, dit la brave Miss Haynes, tu en as seize, sept et neuf font seize. »

« Je sais bien, dit Anna, mais vous avez dit de faire semblant, alors j'ai fait semblant d'en manger un et d'en donner un ; il m'en reste quatorze. »

J'ai toujours pensé que c'était pour répondre au regard affligé et ahuri de Miss Haynes qu'Anna ajouta :

« Je l'ai pas aimé. Il était pas bon. » Etait-ce pour se punir elle-même, pour expier ?

Car ce genre d'attitude envers « les affaires de Mister God » que sont les nombres était impardonnable et mettait Anna dans tous ses états. L'estocade vint dans la rue, un soir d'été. Dink était en train de faire ses devoirs, assis sur les marches. Il avait quatorze ans et allait au lycée, il shootait si bien qu'il rentrait des buts sous l'angle qu'il voulait, et au cricket aussi, c'était un as, mais entre les maths et lui, les relations diplomatiques étaient rompues.

« Pauvre mec ! » fit Dink.

« Qu'est-ce qu'il y a, Dink ? »

« C'pauvre mec qui prend son bain. »

« On est pas vendredi, si ? »

« Vendredi, vendredi ? Quel rapport ? »

« Ben, c'est le soir du bain. »

« Rien à voir, rien à foutre. »

« Qu'est-ce qu'il fout, le mec, Dink ? »

« Il a ouvert les deux robinets, et même pas mis le bouchon. »

« Des baignoires comme ça, y en a qui en ont, pas de blague. »

« Nous, on a pas de robinets à la baignoire. On la laisse dans la cour et on la remplit avec un seau, à la citerne. »

« Et qu'est-ce que t'as à faire, Dink ? »

« Trouver en combien de temps la baignoire est remplie. »

« Elle le sera jamais. »

« Jamais ? »

« Y va choper la crève à rester là à poil. »

« C't'un minus. »

« Qu'y s'débarbouille s'y veut ! Viens faire un foot, Dink. C'est moi qui fais le goal. »

Anna, qui avait écouté ce dialogue, y vit confirmées ses pires appréhensions. Le calcul était une invention du Diable, il vous détournait des vraies affaires de Dieu que sont les nombres, et vous enchaînait à un univers d'idiots.

C'était l'heure de décrocher du turf, et nous venions de décrasser nos pattes du plus gros du cambouis. Cliff, Georges et moi traversions la cour quand nous la vîmes qui attendait à la grille. Je courus vers elle, étonné de la voir là. Elle courut à ma rencontre.

« Qu'est-ce qu'il y a, Pitch' ? Il est arrivé quelque chose ? »

« Oh Fynn ! Et elle lança ses bras autour de mon cou. C'est tellement chouette. Je pouvais pas attendre. »

« Qu'est-ce qui est chouette ? Qu'est-ce que c'est ? »

Anna fouilla dans sa sacoche et y pêcha quelque chose qu'elle me fourra dans la main. C'était une feuille de papier millimétré dont chaque case portait un numéro. Rien d'insolite à cela. Le numéro du coin supérieur gauche était — 2. Puis cela continuait vers la droite — 1, 0,1,2,3,4,5,6,7. La ligne suivante commençait à gauche par 8,9,10,11, etc. Il y avait six rangées de nombres qui se terminaient, dans le coin inférieur droit, par 57. Ce n'était qu'un tableau de la suite des nombres. Anna me scrutait le visage en attendant qu'il s'illumine. Or, il ne marquait que de la perplexité.

« Je vais te montrer, je vais te montrer », dit-elle fébrilement.

Nous nous mîmes à genoux sur le pavé, et les ouvriers nous contournaient en souriant. Anna traça un grand carré qu'elle divisa en quatre plus petits. Les carrés du haut reçurent les numéros « 22 » et « 23 », ceux du bas « 32 » et « 33 ».

« Additionne ces deux-là », ordonna-t-elle en désignant la diagonale 22 à 33.

« Cinquante-cinq », fis-je obligeamment.

« Maintenant, ces deux-là. » Et elle montrait la diagonale 23 à 32.

« Cinquante-cinq », dis-je en riant.

« La même chose. Elle exultait. C'est pas merveilleux, ça, Fynn ? »

Ensuite, dans un grand carré, elle en traça seize petits et d'un trait de crayon elle les groupa en quatre carrés de quatre.

« Et ceux-là et ceux-là. » Elle désignait le groupe supérieur gauche et le groupe inférieur droit.

« Et ceux-ci », dit-elle en indiquant le supérieur droit et l'inférieur gauche. La réponse restait la même.

Pendant une bonne demi-heure, nous jonglâmes avec des carrés et des groupes de carrés. C'était toujours pareil. Sur une diagonale, les nombres étaient les mêmes que sur l'autre diagonale !

Tout bien réfléchi, c'était naturel. Une diagonale était l'image de l'autre dans un miroir, d'où il s'ensuivait que tous les nombres sur une diagonale étaient l'image des nombres sur l'autre diagonale !

Sacré Mister God ! Encore un de ses tours !

Ce soir-là, elle me dit qu'elle avait essayé des tas de combinaisons, en mettant le zéro à l'endroit qui lui plaisait.

Et quelle que fût la complexité des séries, cela marchait toujours. Les nombres, affaires personnelles de Mister God, ne pouvaient être que miraculeusement et infiniment admirables. Contrairement à cette affaire louche, où les nombres ne servaient qu'à remplir la baignoire de Pied-Fourchu !

Anna refusait radicalement les problèmes de calcul, de peur de se commettre dans les affaires du Diable. Aucun pouvoir sur terre, ni en enfer, c'est sûr, n'aurait pu l'y contraindre. J'essayai de lui expliquer que tous ces exercices servaient à établir les lois d'emploi des nombres. Autant pour moi. Les « affaires de Mister God » étaient bien capables de démontrer leurs lois par d'autres moyens. Croyez-vous utile de faire creuser un trou à deux hommes pendant deux heures pour... mais pourquoi ? Vous ne posez même pas la vraie question. « Pourquoi creusez-vous ce trou ? » Non. Vous allez chercher cinq autres hommes, et vous leur faites creuser le même trou, uniquement pour savoir le temps qu'ils mettront. Et l'homme à la baignoire ? Ne me racontez pas que vous connaissez quelqu'un qui ouvrirait les robinets et laisserait volontairement la bonde ouverte. Quant aux rangées de fleurs...

Anna n'eut jamais aucun mal à abstraire le « six » de « six pommes » pour l'appliquer à « six autobus », par exemple. « Six » était pour elle une quantité ; mais cela n'épuisait pas son contenu. Et il fallut qu'Anna rencontrât les ombres pour que la question avançât. Ce qui est bizarre, si l'on pense qu'une ombre, c'est plus ou moins un vide, une absence. En tout cas, les ombres déclenchèrent en elle une réaction en chaîne et la propulsèrent dans mille directions à la fois.

Nous avions, pour passer les longues soirées d'hiver, une lanterne magique, avec une assez nombreuse collection de vues comiques, qui n'étaient pas drôles, et une collection équivalente de vues éducatives, qui n'étaient pas très instructives, à moins que l'on s'intéressât à la superficie exacte du Palais des glaces ou au nombre de blocs de pierre utilisés pour construire la Grande Pyramide. Mais ce qui était à la fois comique et éducatif — je l'ignorais encore à l'époque — c'était la lanterne magique vide. C'était comique, parce qu'il suffisait de passer la main dans le faisceau pour qu'une ombre apparût sur le drap qui servait d'écran. Et c'était éducatif, puisqu'il en résulta trois idées originales, extraordinaires. Quand Anna demandait : « Est-ce qu'on peut allumer la lanterne ? », je disais aussitôt : « Que veux-tu voir ? »

et elle répondait automatiquement : « Rien. Je veux seulement qu'on allume. » J'avoue que j'étais inquiet, car elle s'asseyait et contemplait le rectangle lumineux sans bouger, sans parler, pendant des heures. Chaque jour, je me retenais de rompre cette espèce de transe hypnotique dans l'espoir d'apprendre ce qui se passait en elle.

La contemplation du rectangle de lumière dura toute une semaine. Enfin, après ce qui m'avait semblé une éternité, elle parla. « Fynn, tiens une boîte d'allumettes dans la lumière. »

Je ramassai la boîte, et je la tins dans le faisceau. L'écran se peupla de l'ombre noire d'une main tenant une boîte.

Elle scruta cette image longuement, soigneusement, puis elle dit : « Maintenant, un livre. »

Je me mis en devoir de tendre un livre devant le projecteur. A nouveau, je sentis qu'elle retenait son souffle pour mieux observer. Il fallut que je brandisse dans la lumière une bonne douzaine d'objets avant de recevoir l'ordre d'éteindre. Je rallumai le bec de gaz à fond, m'assis sur la table et attendis une explication, mais rien ne venait. Ma patience commençait à craquer. Je pris le ton le plus détaché pour demander :

« Qu'est-ce que tu mijotes, Pitch' ? »

Son visage me faisait face mais ses yeux étaient ailleurs.

« C'est drôle, murmura-t-elle, c'est drôle. »

Tout à coup, en la regardant, j'eus l'étrange illusion qu'à l'intérieur d'elle-même, quelque chose pivotait lentement sur moi-même. Ses yeux toujours fixés droit devant, voilà que sa tête tournait insensiblement vers la gauche. Et soudain, la tension se relâcha et elle éclata de rire. Je gardai le sentiment qu'on avait déchiré la dernière page du roman policier que je lisais.

Et cette scène se répéta six ou sept fois de suite les jours suivants ; le reste du temps, elle était toujours aussi mignonne, aussi passionnée. Mais j'avoue que je me rongeais les ongles d'impatience, et d'inquiétude. Vers la sixième reprise, elle me pria d'épingler à l'écran une feuille de papier. Ce que je fis. L'objet du jour était un pot. Anna m'expliqua que je devais tracer au crayon sur la feuille les

contours de l'ombre du pot. Or, le pot dans une main et le crayon dans l'autre, je n'arrivais pas à atteindre l'écran. Je le lui dis, mais elle restait là, comme un metteur en scène qui attend de ses assistants la réalisation des effets demandés. Elle dit simplement : « Pose-le sur quelque chose. » Je m'exécutai. J'empilai des livres sur un guéridon, plaçai le pot, et traçai tant bien que mal les contours de son ombre sur le papier.

« Maintenant, découpe-la », ordonna-t-elle.

Je commençais à trouver qu'elle faisait bon marché de mes talents, et je lui dis de la découper elle-même.

« S'il te plaît, Fynn, je t'en prie », dit-elle.

Tout en faisant une moue de circonstance, je la découpai et la lui tendis. On éteignit la lanterne, on ralluma le gaz, et elle se mit à contempler la découpe en se dévissant presque le cou afin de... afin de quoi ? Quoi qu'il en fût, elle eut l'air satisfait et inséra la silhouette entre les pages de la *Concordance biblique*.

Trois nouvelles silhouettes naquirent le soir suivant, sans que j'apprisse rien de plus. Je n'avais pas idée qu'Anna venait de résoudre son problème. Aucun indice n'était là pour me guider. Trois jours passèrent encore avant qu'elle ne demande d'allumer la lanterne magique. Trois journées de questions, d'insinuations et de ruses inutiles, trois journées de sourire énigmatique qui la faisait ressembler à une miniature de la Mona Lisa. Enfin, la mise en scène fut réglée.

« Et maintenant ! » s'écria Anna parfaitement sûre d'elle, « Maintenant ! »

Elle sortit du livre les quatre découpages et les mit sur la table.

« Fynn, veux-tu tenir celle-là ? »

Je tendis la silhouette dans le faisceau. Qu'avait-elle donc besoin de l'ombre d'une ombre, me demandai-je.

« Pas comme ça ! Tiens-la à plat. »

« Voilà-voilà ! » dis-je en tenant le papier perpendiculairement à l'écran.

« Qu'est-ce que tu vois, Fynn ? »

Je me retournai. Elle serrait les paupières pour ne pas voir.

« Une ligne droite. »

« La suivante, maintenant. »

Je tins de même la suivante.

« Et qu'est-ce que tu vois, maintenant ? »

« Une ligne droite. »

Les troisième et quatrième donnaient également des lignes droites. Sapristi ! Anna avait établi le fait que tout objet, que ce soit une montagne ou une souris, un bégonia ou le roi d'Angleterre, produisait une ombre. Et que cette ombre, quelle qu'elle fût, tenue perpendiculaire à l'écran, donnait une ligne droite. Mais ce n'était pas tout.

Anna ouvrit les yeux et les planta dans les miens.

« Fynn, est-ce que tu peux prendre une ligne droite — dans ta tête, je veux dire — et la tenir plantée dans l'écran ? Qu'est-ce que tu vois ? Hein ? »

« Un point », répondis-je.

« Oui », dit-elle, et son sourire était plus radieux que la lanterne magique.

« Je ne pige toujours pas ce que tu fricotes. »

« Un nombre, c'est ça. »

Le plus bel hommage qu'on m'eût jamais rendu me le fut par Anna : elle garda le silence. Et ce silence signifiait pour moi : « Enfin, tu es assez intelligent pour aller toi-même au bout du raisonnement. Alors, au boulot ! » Je m'y mis. Et comme ma gymnastique mentale se terminait toujours par « Tu veux dire que... ? », je ne voulus pas faire exception.

« Tu veux dire que... ? »

Elle voulait dire la chose suivante : Si un nombre — disons le nombre 7 — pouvait servir à compter des choses aussi diverses que des billets de banque et des nourrissons, des livres et des chauve-souris, c'est que toutes ces choses avaient un caractère commun ; qu'elles avaient sans qu'on le sache, un dénominateur commun. Que pouvait-il être ? Les choses ont une ombre. Avoir une ombre est l'indice que l'on existe. Une ombre laisse tomber beaucoup de caractères qui ne peuvent s'énumérer, comme la rougeur, la fraîcheur, mais elle nous laisse la forme. Une ombre transporte encore trop d'informations. Comme les ombres diffèrent entre elles, il faut leur faire encore perdre des caractères. Et comme on sait qu'une ombre élimine beaucoup d'informations inutiles, n'est-il pas raisonnable de présumer que l'ombre d'une ombre en éliminerait encore plus ? Cela se vérifie effectivement, mais seulement à condition que l'on tienne l'ombre perpendiculaire à l'écran. Alors, toutes les ombres deviennent des lignes droites. Or, ces lignes droites sont de longueurs différentes, et c'est là une dernière information dont on n'a que faire. La solution est simple. Il suffit de prendre l'ombre des lignes droites. Ce qu'avaient en commun tous ces objets, la chose qui comptait vraiment en eux, le *n'ombre,* était l'ombre d'une ombre d'une ombre, c'est-à-dire un point. Par cette méthode, on avait éliminé toute information superflue. Voilà ce qui restait. Ce qui comptait.

Ayant ramené la multitude des objets à leur commune essence, le point, seule chose qui compte, Anna entreprit de dévider l'écheveau dans l'autre sens. Elle saisit un crayon et — toc ! — piqua un point sur une page blanche.

« C'est pas merveilleux, Fynn ? » dit-elle en désignant le point. « Ça pourrait être l'ombre de l'ombre de l'ombre de moi, ou d'un bus, ou de toi... »

J'avais beau me regarder, je ne me remettais pas, mais le point était tout de même clair pour moi.

Elle dévida le point en ligne droite, la droite en silhouette, la silhouette en objet, et l'objet en... Avant d'avoir pu dire « Ouf ! », la voilà qui escaladait comme un petit singe l'arbre vertigineux des dimensions. Car un objet — comprenez-vous ? — pourrait bien être l'ombre d'une chose plus complexe, et cette chose même pourrait être l'ombre d'une chose encore plus complexe, et ainsi de suite. A vous donner le vertige. Mais c'était inévitable, me dit-elle. Une fois réduites au point, les choses étaient irréductibles. C'était le terminus. Mais dans le sens inverse, en dévidant le fil, où s'arrêter ? Il n'y avait aucune raison de ne pas poursuivre à jamais. Hormis qu'il y a dans l'univers une chose si complexe qu'elle ne pourrait l'être davantage. Et même moi, j'avais deviné que c'était Mister God. Anna avait atteint les extrémités de l'échelle infinie des dimensions. A un bout, le point. A l'autre, Mister God.

Pendant qu'elle nourrissait les canards du parc, le lendemain, je lui demandai comment lui était venue l'idée des ombres.

« Dans la Bible », dit-elle.

« Où, dans la Bible ? »

« Mister God dit qu'il couvrira les Juifs de son ombre. »

« Ah ! »

« Et puis, il y a saint Pierre. »

« Saint Pierre ? Qu'est-ce qu'il a fait ? »
« Guéri des gens. »
« Comment ça ? »
« Il posait son ombre sur les malades. »
« C'est vrai. J'aurais dû m'en souvenir. »
« Et puis, y'a Pied-Fourchu. »
« Qu'est-ce qu'il vient faire là, celui-là ? »
« Comment 'y s'appelle ? »
« Satan. »
« Encore. »
« Le Diable ? »
« Non, encore. »
Je tombai enfin sur Lucifer.
« Ouais. Qu'est-ce que ça veut dire ? »
« Lumière, je crois. »
« Et Jésus ? »
« Jésus ? Ben... »
« Qu'est-ce qu'il a dit ? »
« Des tas de choses, non ? »
« Quel nom il s'est donné ? »
« Le Bon Pasteur ? »
« Un autre. »
« Euh... la Voie ? »
« Un autre. »
« Tu veux dire... la Lumière ? »
« Oui. Pied-Fourchu et Jésus, tous les deux la Lumière ! Tu sais ce qu'il a dit, Jésus ? " *Je* suis la Lumière ". »
Elle appuya sur le *Je*.
« Pourquoi il a dit ça comme ça ? »
« Pour qu'on s'embrouille pas. »
« S'embrouille comment ? »
« Y'a deux lumières, la vraie et la fausse, Lucifer et Mister God. »

La seconde idée d'Anna découlait tout naturellement de la première. Les ombres avaient une importance primordiale pour une vraie compréhension de Mister God et, par conséquent, de sa création. Au commencement est Mister God, et nous savons qu'il est Lumière. Puis apparaît l'objet, création de Mister God. Enfin se dresse l'écran sur lequel se forment les ombres. L'écran est un objet qui laisse « tomber » toute information superflue, nous en libère, et nous rend capables de faire des opérations mathématiques et autres.

Cependant, n'allez pas croire que Mister God ait gaspillé toute cette substance miraculeuse contre un peu de calcul et de géométrie élémentaires. D'abord, on peut faire varier l'angle de l'écran et du faisceau, ou bouger la source de lumière. Les ombres se distordent mais on peut encore raisonner sur elles, les inclure dans des opérations. Et puis, on peut tordre l'écran de toutes les manières, sans cesser pour autant de tenir un discours logique sur les ombres. On peut aussi loger la lumière à l'intérieur de l'objet et en projeter l'ombre sur l'écran, ce qui est passionnant. Et si l'on prend l'ombre d'une ombre, et que l'on distord l'écran, voilà qu'une distance d'un centimètre se réduit à néant, ou s'allonge démesurément. Quand on commence à manipuler l'écran, il n'y a pas d'opérations que l'on ne soit amené à effectuer. Et c'est cela qu'Anna appelait la véritable affaire de Mister God. Mais avec l'ombre de l'ombre d'une ombre, il n'y a plus de discours ni de calculs possibles. Un aussi petit point ne subira jamais aucune distorsion, quoi qu'on fasse.

La dernière révélation des ombres fut faite à Anna une nuit d'hiver pluvieuse et venteuse — et qui, depuis trente ans, me trotte dans la tête. J'étais installé confortablement au coin du feu et je lisais. Anna scribouillait sur une feuille de papier quand tout a commencé.

« Qu'est-ce tu lis, Fynn ? »

« Des trucs sur l'espace, le temps, et des machins comme ça qui ne t'intéresseraient pas. »

« Qu'est-ce qu'ils disent ? »

« Des tas de choses sur l'espace et le temps et » — c'est là que je fis ma gaffe — « sur la lumière. »

« Ah ! » Elle leva son crayon. « Quoi sur la lumière ? »

Je commençai à me sentir mal à l'aise ; la lumière et les ombres, après tout, c'était le royaume d'Anna.

« Eh ben, un type nommé Einstein a démontré que rien ne va plus vite que la lumière. »

« Ah bon », dit Anna en se remettant à écrire. Et soudain, elle lança par-dessus son épaule. « C'est faux ! »

« Ah c'est faux ? Mais il fallait me le dire tout de suite ! » La plaisanterie ne prit pas.

« Je ne savais pas ce que tu lisais. »

« D'accord. Alors dis-moi ce qui va plus vite que la lumière. »

« Les ombres. »

« Pas possible, contredis-je, la lumière et l'ombre arrivent ensemble. »

« Pourquoi ? »

« Parce que c'est la lumière qui fait l'ombre. » Je commençais à m'embrouiller un peu. « Enfin écoute, une ombre, c'est là où il n'y a pas de lumière. Impossible qu'une ombre arrive quelque part avant que la lumière y soit. »

Elle mit cinq minutes à digérer cela. Je m'étais replongé dans mon livre.

« Les ombres vont plus vite. Je peux te montrer. »

« Je demande à voir. Vas-y. »

Elle sauta de sa chaise, enfila son imperméable et saisit la grosse torche électrique.

« Où vas-tu ? »

« Au cimetière. »

« Il pleut à verse et il fait noir comme dans un four. »

Elle brandit sa torche.

« Je peux pas te montrer des ombres en plein jour, hein ? »

Dehors, on n'y voyait pas à deux pas, et ce n'était pas des gouttes qui tombaient, mais des seaux d'eau.

« Pourquoi au cimetière ? »

« A cause du grand mur. »

Comme la route du cimetière ne conduisait nulle part ailleurs et qu'elle longeait le chemin de fer, il n'y avait

presque pas de réverbères et pas un chat. Arrivés au milieu du mur, nous fîmes halte.

« Alors ? » demandai-je.

« Toi, tu restes ici. » J'étais sur la chaussée, à environ dix mètres du mur.

« Moi, je vais plus haut », poursuivait-elle. « Je vais t'éclairer. Tu vas regarder ton ombre sur le mur. »

Ayant dit, elle partit en trottant dans l'obscurité. Soudain, la lampe s'alluma et parcourut la nuit avant de me repérer.

« Prêt ? », cria-t-elle.

« Oui », répondis-je.

« Tu vois ton ombre ? »

« Non. »

« Je viens plus près. Tu me dis quand tu la vois. »

La lampe-torche se rapprocha, m'épinglant au milieu de son faisceau.

« Vu ! » criai-je, en apercevant le contour de mon ombre tout au bout du mur.

« Maintenant, regarde-la bien ! »

Elle se mit à marcher parallèlement au mur, à un mètre de là où je me trouvais. J'observais ma silhouette passer au fond de la nuit. Elle fonçait vers moi à vive allure, certes beaucoup plus vite que ne marchait Anna. Elle ralentit en me croisant sur le mur, puis reprit de la vitesse. Anna s'éloignait à reculons, braquant toujours sa torche sur moi.

Tout à coup, elle était à mes côtés.

« T'as vu ? », demanda-t-elle.

« Ouais, j'ai vu. »

« Ça va vite, hein ? »

« Tu parles ! Comment as-tu trouvé ça ? »

« Les voitures, les phares des voitures. »

Je concédai que mon ombre allait plus vite qu'elle ne marchait, mais j'affirmai qu'elle n'allait sûrement pas plus vite que la lumière. Elle ne me fit aucune réponse. A la lueur de la lampe, je vis son expression, elle était loin, loin. L'expérience extérieure terminée, commençait pour elle l'expérience intérieure.

Je lui pris la main. « Viens, Pitch'. Allons boire un thé et grignoter quelque chose chez la Mère B. »

En chemin, nous croisâmes Sally.

« T'es pas dingue, dit-elle, de traîner la gosse dehors une nuit pareille ? »

« C'est pas moi, répondis-je, c'est elle qui me traîne. »

« Ah bon », dit Sally, « elle a son grain ? »

« Oui. Viens prendre un thé chez la Mère B. »

« Ça me va », dit Sally.

Je venais de terminer mon pâté de porc chaud quand l'expérience intérieure d'Anna s'acheva.

« Le soleil, dit-elle, c'est comme un phare d'auto. »

Puis, après quelques instants de réflexion, elle pointa sur moi sa fourchette encore propre. « Toi, tu es comme la terre. Le mur, il est à des fourmillions de kilomètres, mais c'est seulement un mur pour faire semblant. » Elle atterrit brusquement et aperçut Sally pour la première fois.

« Jour, Sally », dit-elle en souriant.

« Lut, Pitch', répondit Sally. Quoi d'neuf ? »

Anna me transperça du regard.

« Le soleil fait une ombre de la terre sur le mur, le mur pour faire semblant. »

« Ça, fis-je d'un air sceptique, j'en suis pas persuadé. »

« T'as qu'à te persuader, dans ta tête, dit-elle avec le sourire. Si la terre fait le tour du soleil, et l'ombre passe sur le mur qui est à... »

« ...des fourmillions de kilomètres », complétai-je.

« A quelle vitesse est-ce que l'ombre passe sur le mur ? » Elle planta sa fourchette dans son pâté et le fit tourner autour d'elle comme la terre autour du soleil. Sa tête se pencha, et d'un air de défi, elle attendit ma réponse.

Mais moi, je ne voulais pas. Je ne voulais pas dire : « A des fourmillions de kilomètres-seconde. » Du moins, pas avant d'avoir bien réfléchi.

Je savais que j'avais raison, que rien n'est plus rapide que la lumière. Je le croyais vraiment. J'étais sûr que M. Einstein ne s'était pas trompé.

Avec le recul, je comprends maintenant en quoi j'avais

eu tort. Je m'étais trompé dans l'éducation d'Anna. Je ne lui avais pas enseigné la Bonne Méthode. Bien sûr, je lui avais appris des tas de trucs, des drôles, des rapides, des difficiles, mais pas la BONNE METHODE. Et c'était parce que je n'étais pas moi-même très bien fixé sur la méthode qui était LA BONNE. Alors, Anna devait s'en fabriquer elle-même. Et cela ne facilitait pas mon travail.

Chapitre huit

Oralement ou par écrit, la parole qu'Anna utilisait le plus était « Mister God ». Mais, à moins d'une encolure, arrivaient en second ceux qu'elle appelait les « Que-mots ». Les « Que-mots » étaient des mots qui commençaient par « Qu », c'est-à-dire, aux yeux d'Anna, ceux qui posaient une « Qu'estion ». « Que », « Quoi », « Pourquoi », « Quand », « Qui », « Quel », interrogatifs, posaient sagement leurs « Qu'estions ». Mais il y avait un indocile, un insoumis, et c'était le « Comment ». « Comment » posait indubitablement une « Qu'estion » et aurait dû s'écrire « Quomment », mais quelqu'un avait dû retirer à « Quomment » son « Qu » par une faute d'orthographe qui lui était restée ; heureusement, le « C » continuait à se prononcer « Qu », signe annonciateur de toute « Qu'estion ». Quant à « Où », là, l'étourderie n'était que trop évidente : quelqu'un avait, une fois, oublié la queue du « Q », l'avait posée en accent sur le « u », et tout le monde avait bêtement recopié. Mais en réalité, « Qu » et « Où » posaient également « Qu'estion ».

Les « Que-mots » offraient bien des bizarreries. La moindre n'étant pas qu'il suffisait d'un rien pour les transformer de mots-question en mots-réponse. Il suffisait, la plupart du temps, de remplacer le « Qu (dur)-question » par un « C-(mou)-réponse ». Le « C-(mou) » était démonstratif. On ne montrait pas du doigt, mais de la langue. Tout mot commençant par « C-(mou) » se montrait de la langue. « Qu'est-ce qu'un tram ? » recevait la réponse « Ceci est un tram ». « Où est le livre ? » recevait la réponse « Ici est le livre ». « Quelle maison est-ce ? » « Celle de gauche ». Certains mots-question se répondaient à eux-mêmes : « Quand partez-vous ? » « Quand je serai prêt ». Ce qui avait un brin d'impertinence. Enfin, « Pourquoi » aurait dû se répondre par « Pourçoi » et « Comment » par « Çomment » et ce n'était pas le cas, mais c'étaient de petits problèmes auxquels il suffirait de réfléchir un peu pour les résoudre. Anna ne doutait pas que les « Que-mots » eussent la vocation de poser des questions, et les « Ce-mots » celle d'y répondre.

Quant au langage, Anna était d'avis qu'il pouvait, en gros, se diviser en deux : la partie question et la partie réponse. Des deux, c'était la partie question qui avait le plus d'importance. La partie réponse offrait certaines satisfactions mais ne pouvait rivaliser avec sa voisine. Les questions étaient une sorte de démangeaison intérieure, une impulsion à aller de l'avant. Les questions, les vraies, avaient ceci de spécial qu'elles étaient dangereuses, et passionnantes. On ne savait jamais très bien où on allait atterrir.

C'était l'ennui de l'école, et de l'église, elles avaient l'air de s'intéresser beaucoup plus à la partie réponse du langage qu'à sa partie question. L'école, l'église soulevaient des problèmes terribles par les réponses qu'elles donnaient. Evidemment, on pouvait reconstituer la question à partir de la réponse reçue, mais il se trouvait que ce genre de question n'avait pas de terrain où se poser, et l'on était renvoyé de piste en piste. Non. Le signe qu'une question est réelle est qu'elle se pose quelque part, qu'elle peut atterrir. Comme disait Anna, on peut poser la question : « Aimez-vous tipoter ? » Ça a tout l'air d'une question, n'est-ce pas ? « Mais ça n'atterrit nulle part. » Si on fait comme si c'était réel, on peut se poser des questions pareilles toute sa vie sans avancer d'un pouce.

Anna était certaine que le Paradis existe, que les anges, les chérubins et autres créatures célestes sont réelles, et elle savait plus ou moins de quoi ils ont l'air ; en tout cas, elle savait à quoi ils ne ressemblent pas. Par exemple, ils n'ont rien de commun avec ces tableaux où les anges ont des ailes bien duveteuses. Les ailes ne la gênaient pas, mais le fait que les anges aient apparence humaine. L'idée qu'un ange puisse, ou veuille, souffler dans une trompette, la déconcertait et la navrait. L'idée qu'à la résurrection de la chair, Anna aurait bras et jambes, yeux et oreilles, et qu'elle serait toujours construite sur le même modèle était pour elle une idée folle et monstrueuse. Pourquoi donc les adultes s'entêtaient-ils à se demander où est le Paradis ? La question « Où est le Paradis ? » ne se pose ni ici, ni là, elle est abstraite, absurde, elle ne se pose pas. Et pourquoi, mon Dieu pourquoi donner aux anges, aux chérubins, et à Mister God lui-même, une apparence humaine ? Non, vraiment, demander où se trouve le Paradis, c'est poser une question sur rien, poser une non-question, donc c'est une question qui ne se pose pas.

Dans l'esprit d'Anna, le Paradis n'était pas une affaire de lieu, mais une affaire de perfection des sens. Le langage n'était pas à l'aise pour décrire le ciel, tenter de l'expliquer, mais c'est que le langage était dépendant des sens, d'où il s'ensuivait que l'approche du Paradis dépendait de la qualité des sens. Ces tableaux, ces statues, ces histoires d'anges proclamaient simplement que ceux qui en étaient les coupables auteurs n'avait aucune idée de ce dont il s'agit. Tout ce qu'ils avaient à dire, c'est que les créatures célestes n'étaient que des humains avec des ailes dans le dos. Elles n'étaient pas dotées de sens moins grossiers que nous, et donc n'avaient rien qui les destinât au Paradis. Non, quelque idée qu'on se fasse du ciel, elle est insignifiante ; ce qui compte, c'est l'idée qu'on se fait de ses habitants. L'endroit importe peu. Là où les sens sont parfaits, là est le Paradis. Les sens de Mister God sont parfaits. Bien sûr, ces facultés de nous voir à distance infinie, de nous entendre, de connaître nos pensées, nous avons raison de les lui attribuer, et pourquoi pas aux anges ? Mais alors, pourquoi les représenter dans les contes, les toiles, les sculptures avec des oreilles, des yeux et des formes comme tout le monde ? N'était-ce pas puéril ? S'il fallait dépeindre les hôtes du ciel, que ce fût de manière à montrer la perfection de leurs sens, et puisque le langage dépend des sens, la perfection de leur langage.

La curieuse insistance que mettaient la dame-catéchiste, Miss Haynes, et le Père Castle à se servir des mots « voir » et « connaître » à si mauvais escient était une écharde dans le cœur d'Anna. Au sermon de la messe, un dimanche, le Père Castle parlait de « voir » Mister God, de le contempler « face à face ». Savait-il seulement quel danger le menaçait ? Anna me saisit la main et la serra très fort en secouant la tête. Elle luttait farouchement pour éteindre ses flammes intérieures qui, les eût-elles libérées, auraient instantanément foudroyé le Révérend.

Et, à propos de feux, disons que ceux de l'enfer de Pied-Fourchu n'étaient que des brandons fumeux à côté de ceux du cœur d'Anna.

Dans un chuchotis qui se répercuta dans toute l'église, elle me dit : « Et c'ment qu'y f'ra, s'y voit qu'Mister God a pas d'face ? Et qu'y n'a pas d'yeux, hein Fynn, c'ment qu'y f'ra ? »

Le Père hésita un instant, puis reprit en forçant le ton pour retourner vers lui les têtes et les yeux de la communauté paroissiale.

Anna répéta distinctement : « C'ment qu'y f'ra ? »

« J'donne ma langue au chat », murmurai-je en retour.

Elle me tira sur le bras pour que je me rapproche et colla ses lèvres à mon oreille. « Mister God a pas de face », susurra-t-elle.

Je me tournai vers elle, interrogateur : « C'ment ça s'fait ? »

Elle recolla ses lèvres à mon oreille : « Parce qu'il a pas b'soin d'se r'tourner pour voir autour d'lui, voilà », et elle se radossa dans sa stalle en hochant la tête tranquillement et croisa les bras en signe de point final.

Sur le chemin du retour, je lui demandai ce qu'elle avait voulu dire par « ...il a pas b'soin d'se r'tourner... »

« Ben, dit-elle, moi, j'ai un " devant " et un " derrière ", alors pour voir derrière, faut que j'me retourne. Mister God pas. »

« Alors, c'ment fait-il ? »

« Mister God, il n'a qu'un “ devant ”, il a pas de “ derrière ”. »

« Haha, dis-je, je vois. »

L'idée que Mister God n'avait pas de « derrière » me parut si savoureuse que, malgré mes efforts, je ne pus retenir mon fou rire, et j'éclatai.

Anna me toisa avec perplexité.

« Pourquoi tu ris ? »

« C'est l'idée que Mister God, il a pas de derrière », dis-je entre deux quintes.

Ses yeux se plissèrent, ses lèvres sourirent, puis tout son visage s'illumina. « C'est vrai qu'il en a pas ! » Et son éclat de rire descendit la rue par petites vagues, qui éclaboussèrent en passant la cohorte pincée des chrétiens du dimanche, dont les sourcils se froncèrent.

« Mister God a pas de panpan ! » se mit à chanter Anna sur l'air d'*En avant, soldats du Christ !*

Et les chrétiens de prendre un rictus horrifié. « Quelle abomination ! », dit le complet-veston qui se sentait froissé, « Petite sauvage ! », firent en craquant les souliers vernis, « Satanique ! », tinta la chaîne de la montre-gousset en battant sur le gras du gilet, mais Anna et Mister God riaient toujours.

En rentrant à la maison, Anna s'exerça avec moi à son nouveau jeu. Comme elle se lançait spirituellement vers Dieu, physiquement, elle se précipitait vers moi. « Mister God a pas de pan-pan », n'était pas une blague, pas une espièglerie d'enfant, pas une bêtise. C'est ainsi que l'esprit, en elle, prenait son essor. Par de telles notations, elle se jetait dans les bras de Mister God, et Mister God la recevait. Anna savait qu'il le ferait, qu'il ne la laisserait pas tomber, qu'elle ne courait aucun risque. Et qu'il n'y avait rien d'autre à faire que cela. Afin d'être sauvé.

Avec moi, elle faisait de même. Elle se plaçait à quelques pas, se mettait à courir, et se jetait dans mes bras. Quand elle courait, c'était de toutes ses forces, de toute sa volonté ; mais quand elle s'était jetée, elle s'abandonnait complètement. Elle ne faisait rien pour m'aider à la rattraper, rien pour assurer sa sécurité. Pour elle, la sécurité, c'était d'avoir confiance en quelqu'un.

Il était facile de se rassurer, de considérer Mister God comme un surhomme barbu jusqu'aux oreilles, les anges comme des hommes et des femmes emplumés, les chérubins comme de gros bébés potelés voletant sur des ailes qui n'auraient pas soulevé un moineau. Mais la sécurité, pour Anna, était de faire violence à toutes les images rassurantes, pour créer.

A chaque seconde, elle acceptait sa vie telle qu'elle était, et acceptant la vie, elle acceptait la mort. On en parlait souvent avec elle, sans que ce fût morbide ni angoissant, mais comme d'une chose qui se produirait, un jour ou l'autre, et qu'il valait mieux connaître un peu d'avance au lieu d'attendre le dernier moment, et de paniquer. Pour Anna, la mort était une porte ouverte sur les possibles. C'est Maman qui fournit à Anna la solution du problème que lui posait la mort. Maman aussi avait le don de soulever des questions qui « se posaient ».

Un dimanche après-midi elle nous demanda : « Quelle est la plus grande création de Dieu ? »

Bien que je ne sois pas toujours d'accord avec la Genèse, je répondis : « Quand il a créé l'homme. »

Maman dit que je me trompais. J'essayai autre chose, et me trompai encore. Je passai en revue les six jours de la Création sans viser une seule fois juste. J'étais à sec. Alors seulement, je vis combien Maman et Anna étaient complices. Je le vis au sourire de Maman, celui des jours de fête, étincelant de mille feux comme un sapin de Noël. Elle attirait alors le regard et ne le lâchait plus. Anna la fixait intensément, le menton posé dans les mains. Et je les voyais là toutes deux, l'une souriant, et l'autre la contemplant. On aurait oublié qu'Anna était haute comme trois pommes. Son regard frayait un chemin que le sourire de Maman doucement élargissait à mesure. Et ce fut la trouée. Anna baissa les mains, les posa sur la table et se redressa. L'émerveillement envahit ses traits. Elle lâcha dans un souffle : « C'est le septième jour, bien sûr, c'est le septième jour. »

Je les regardai toutes deux et me raclai la gorge pour rappeler ma présence.

« Je ne pige pas. Dieu a fait tous ses miracles en six jours, et le septième, il a fermé boutique pour se reposer un peu. Qu'est-ce que ça a de prodigieux ? »

Anna se leva de sa chaise et vint s'asseoir sur mes genoux. C'est ainsi qu'elle se penchait sur le benêt, l'innocent que j'étais.

« Pourquoi Mister God s'est reposé le septième jour ? », commença-t-elle.

« Je pense qu'il était un peu vanné après ses six jours de boulot », répondis-je.

« C'est pas parce qu'il était fatigué qu'il s'est reposé. »

« Non ? Eh ben moi, rien que d'y penser, ça me fatigue. »

« Bien sûr que non. Il était pas fatigué. »

« Pas fatigué ? »

« Non. Il a créé le repos. »

« Ah ? »

« Oui. C'est le plus grand miracle, le repos. Comment crois-tu que c'était, avant qu'il ait commencé, le premier jour ? »

« Ça devait être un drôle de foutoir », répondis-je.

« Oui. On peut pas se reposer quand c'est le foutoir, hein ? »

« Non. Et alors ? »

« Ben, quand il a commencé à créer, c'était un peu moins le foutoir. »

« Fatal », dis-je.

« Et quand il a eu fini de tout créer, Mister God avait défait tout le désordre. Alors, il s'est reposé. Et c'est pour ça que le repos est le plus grand miracle. Tu comprends ? »

Présenté de cette manière, je comprenais et ça me plaisait bien. C'était cohérent. Mais parfois, j'en avais ma claque d'être toujours le petit dernier de la classe, et cela me poussait à envoyer une vanne à l'occasion.

« Je sais ce qu'il a fait du foutoir », m'écriai-je, plutôt content de moi.

« Quoi ? », dit Anna.

« Il l'a fichu dans le crâne des gens. »

Je m'attendais à une explosion. Mais rien. Au lieu de cela, je vis deux têtes hocher en mesure leur accord et leur contentement que j'aie saisi si bien et si vite. Je changeai vite mon fusil d'épaule et reçus ces *satisfecit* comme mon dû. Mais une question se posait : comment demander « Pourquoi a-t-il fichu le foutoir dans le crâne des gens ? » sans me retrouver instantanément au fond de la classe avec le bonnet d'âne ?

« Bizarre, ce foutoir... », commençai-je.

« Pas du tout, dit Anna, il faut bien avoir un foutoir dans la tête, avant de savoir ce que c'est, le repos.»

« Oui-oui, c'est pour ça ! »

« La mort, c'est le repos, poursuivit-elle, quand tu es mort, tu peux regarder en arrière, et tout remettre en ordre avant de continuer. »

Etre mort, ça n'était pas une histoire. Mourir pouvait en être une, mais pas si on avait vraiment vécu. Pour mourir, il fallait s'être un peu préparé, et la seule préparation à la mort, c'était de vivre vraiment, comme la vieille Mémé Harding. Anna et moi, nous avions tenu la main de Mémé Harding pendant qu'elle mourait. Mémé Harding était

contente de mourir ; pas parce que la vie avait été trop dure avec elle, mais parce qu'elle avait été contente de vivre. Elle était contente d'aller se reposer, pas parce qu'elle était surmenée, mais parce qu'elle voulait mettre un peu d'ordre, elle voulait arranger un peu ses quatre-vingt-dix-neuf années de vie, se les faire repasser, se les rejouer. « On croirait qu'on vous retourne à l'envers, mes petits », avait-elle dit. Mémé Harding était morte en souriant, elle était morte en décrivant la forêt d'Epping un matin d'été. Morte dans la joie parce qu'elle avait vécu dans la joie. C'était la seconde fois de sa vie que Mémé Harding allait à l'église.

Trois semaines auparavant, nous avions assisté à d'autres funérailles. Nous étions vingt-cinq à l'enterrement de Skipper. Une demi-douzaine d'anciens, et une vingtaine d'autres, de toutes tailles. « Fera pas d'vieux os ! », disait-on d'elle, et on avait raison. Skipper était une blagueuse congénitale, toujours prête à rire un bon coup. Elle aurait volontiers ri davantage, mais ça la faisait tousser, et de plus en plus ces derniers temps. Elle allait avoir quinze ans quand elle mourut. Cheveux de paille, yeux bleus, la peau aussi diaphane qu'une soie, Skipper avait passé quinze ans à rire et à faire rire. Quand je pense qu'il n'y avait pas longtemps, nous avions parlé de la mort, tous ensemble.

C'était Bunty qui avait ouvert le feu. « C'ment tu fais, pour mourir ? »

Quelqu'un répondit : « Fastoche, tu t'arrêtes. »

Et Skipper d'ajouter : « Tu te mets au point mort, quoi. »

Grognement général.

Les funérailles sont solennelles, bien trop solennelles pour Skipper. Le Père Castle brodait sur l'innocence de la jeunesse et quelqu'un étouffa un fou rire. Levant les yeux au ciel, il nous annonça que Skipper venait d'y arriver. Amen. Les frimousses se levèrent et les bouches s'ouvrirent en signe de contentement, sauf la petite Dora qui persistait à baisser

le nez. On lui allongea un coup de coude et lui souffla si discrètement que tout le monde entendit :

« Là-haut, regarde ! »

Dora leva brusquement la tête vers la voûte et, entraînée par l'élan, elle bascula en arrière et s'effondra. « J'ai laissé tomber mes caramels », pleurnicha-t-elle.

Le Père continuait à ronronner en nous peignant l'image rhétorique de Skipper. Ce n'était pas d'elle qu'il parlait, en tout cas, personne ne la reconnut. Heureusement que les morts ne contredisent pas. J'entendais d'ici Skipper : « De qui cause-t-il, c't'enfoiré ? » Mais le Père n'entendit rien de tel et put mener la cérémonie à son terme. Nous nous ébranlâmes en colonne vers le cimetière pour rendre les derniers hommages. L'un après l'autre, les gosses jetaient des trucs dans la fosse et s'éloignaient. A quelques pas, nous attendions Buzz qui restait un peu plus longtemps. Buzz et Skipper s'étaient souvent attardés ensemble. En allant vers les grilles du cimetière, nous passâmes devant un ange de quatre mètres qui déposait une gerbe de fleurs en pierre sur une dalle.

« Tu crois qu'Skipper a des ailes, maintenant ? » demanda quelqu'un.

« Pourquoi pas ? »

« Moi, des ailes, ça me gênerait. »

« Pourquoi ? »

« Pour ôter ma liquette. »

« T'es fou, les anges ont pas de liquette. »

« Quoi, alors ? »

« Des chemises de nuit. »

« Moi, en chemise de nuit ? Des clous, je suis pas une fille. » La vie avait repris le dessus.

« Maggie, cria quelqu'un, le ciel, où c'est ? »

« Quèquepart », répondit Maggie.

« C'est là-haut. »

« 'Spère que non. »

« 'Quoi pas ? »

« Si c'est là-haut, fais gaffe, Skipper va te pisser dessus. »

« T'es dégoûtant. »

« Buzz, tu vas te marier, maintenant que Skipper est morte ? »

« L'andouille, dit Buzz, elle avait bien besoin de mourir. »

« Vaut mieux ça que de cracher ses tripes pendant des années. »

« Peut-être, mais quand même. »

« Maggie, est-ce qu'y a un Ciel à part pour les parpaillots, les catholiques, les juifs, et tout ça ? »

« Non. Y en a qu'un. »

« Pourquoi y a toutes ces églises et synagogues, alors ? »

« J'sais pas. »

« J'te parie qu'c'est le Pied-Fourchu qu'à fait ça. Il faut toujours qu'il fiche la pagaille. »

« Tu crois que Skipper est chez le Pied-Fourchu ? »

« Elle a pas intérêt, il la ficherait dehors en pas longtemps. »

« Pauvre mec, ça le ferait rigoler. »

« Y peut pas blairer ça, le Pied-Fourchu. »

« Blairer quoi ? »

« Qu'on rigole. Ça le rend dingue. »

« Et Skipper, qu'est-ce qu'elle fait, en ce moment ? »

« Elle chante des cantiques, non ? »

« Tu parles d'un gag ! Chanter tout le temps. » C'était Mat, il leva la tête, se mit à beugler, et tous les gosses après lui.

Popaul ce vieux marlou,
S'lave la figure dans le fait-tout,
S'coiffe les tifs avec un clou,
Popaul ce vieux marlou.

« J'te parie que Skipper va l'apprendre aux anges. »

« Et puis, Marie trempe ton... »

« Pas celle-là, elle est dégoûtante. »

« Mais non. J'te parie que le Bon Dieu rigolerait. »

« J'te parie que non. »

« Pourquoi qu'y nous a fait avec un cul, s'il faut pas en parler ? »

« C'est dégoûtant, et puis c'est tout. »

« Pourquoi on fait le Bon Dieu si triste ? Moi, si j'étais Dieu, j'rigolerais. »

« Et Jésus, alors ! »

« Il a toujours l'air d'un rachot, sur les images. »

« J'te parie qu'il était pas comme ça. »

« Son vieux était charpentier. »

« Ben, Jésus aussi. »

« Si tu sciais des poutres toute la journée, t'aurais des bras comme ça ! »

« Ouais. Moi, je suis sûr qu'il était balèze. »

« Tu parles qu'il l'était. Il avait du coffre, et une sacrée descente. »

« Où c'est que tu as vu ça ? »

« Dans l'Evangile. Il a changé l'eau en vin. »

« Heureusement que mon vieux peut pas en faire autant. »

« Ton vieux, il est *schlass !* »

« Pourquoi j'aurais pas le droit de dire " cul " ? »

« Parce que. »

« Jésus en avait bien un. »

« Il parlait pas de " cul ". »

« C'ment tu le sais ? »

« J'te parie qu'il disait " panpan ". »

« Sûrement pas. Il parlait yiddish. »

« T'es fou. »

« C'est comme cette gourde, au caté, elle dit que la pluie, c'est les anges qui chialent. Pourquoi y chialeraient ? »

« Tu nous les casses, avec tes questions. »

« Tu crois que Dieu, il en a marre ? »

« Marre de quoi ? »

« Des prières, des questions ? »

« Moi, si j'étais Dieu, je ferais rire les gens. »

« Si t'étais Dieu, y aurait de quoi rigoler. »

« Moi, si j'étais Dieu, je les assommerais à coup de tonnerre. »

« J'ai une idée ! »

« Ça, c'est un miracle. »

« Sans blague, si on montait une autre Eglise ? »

« Tu parles qu'il y en a pas assez ! »

« Non. Je veux dire, sans prières, sans cantiques, rien que des histoires drôles sur Pied-Fourchu. Ça le ficherait en boule. »

« C'est ça, une Eglise pour rire. »

« Ah, ça me plairait, une Eglise pour rigoler. »

Et cela continuait. Heure après heure, jour après jour, année après année. Comme parcourue d'éclairs de chaleurs, la conversation s'illuminait soudain, projetant une lumière neuve dans des recoins cachés, mettant au jour une philosophie, une théologie, une manière de vivre, une vie. Ce dont Anna était si affamée. Ça n'était pas grand-chose, mais c'était le minerai d'où elle tirait son or. Ce qui était sûr : Skipper était morte, et elle-même l'aurait dit, « C'est la vie ! ». Etre mort faisait partie de la vie, et la vie, de la mort.

La nuit qui suivit l'enterrement de Skipper, je fus réveillé par un cri de désespoir qui venait de derrière le rideau. J'allai voir Anna, la pris dans mes bras, comme dans un berceau. Je croyais qu'elle avait fait un cauchemar, ou qu'elle pleurait encore Skipper. Je la berçai doucement en émettant ces bruits rassurants qui « arrangent tout ». Mais elle s'arracha de force à mon étreinte et se mit debout sur le lit. La tournure que prenaient les événements m'inquiétait un peu. Que faire ? J'allumai le bec de gaz. En moi, quelque chose chavira. Dressée sur son lit, les yeux hagards, angoissés, les joues inondées de larmes, Anna pressait sa bouche à deux mains, comme pour retenir un hurlement. Il me sembla que le monde des objets familiers s'était évanoui et que l'univers retournait au chaos.

J'aurais voulu dire quelque chose, mais rien ne me venait. Engourdissement. Mon esprit emballé n'embrayait plus sur le corps. J'étais pétrifié. Et ce qui m'effrayait le plus était qu'Anna ne me voyait pas. Je n'existais pas pour elle, je ne pouvais pas l'aider. Je me mis à pleurer. Etait-ce sur elle ou sur moi, je ne sais, mais le chagrin m'écrasait.

Soudain, du fond de mes larmes, j'entendis la voix d'Anna.

« S'il vous plaît, s'il vous plaît Mister God, apprenez-moi à poser les vraies questions. S'il vous plaît, aidez-moi à poser les vraies questions. »

L'instant d'un éclair, je vis Anna sous la forme d'une flamme, et je frissonnai en sentant tout à coup qui j'étais. Je ne sais comment je survécus à cet instant, mes forces seules n'y auraient pas suffi. Pour la première fois, je « voyais ».

Puis, une main passa sur mon visage doucement, tendrement. Une main essuya mes larmes et l'on répétait « Fynn, Fynn ». La chambre m'apparut, les choses recommencèrent à exister.

« Fynn, pourquoi tu pleures? » demanda Anna.

Je ne sais pourquoi, par peur sans doute, je me mis à débiter juron sur juron, froidement, méthodiquement. Chaque fibre de mon corps vibrait, me faisait mal, les lèvres d'Anna étaient sur les miennes, ses bras entouraient mon cou.

« Ne jure pas, Fynn, ça ira, ça ira. »

J'essayais de trouver le sens de ce terrible, de ce merveilleux instant, et de revenir à la normale, mais c'était une échelle sans fin qu'il fallait descendre.

Anna parlait à nouveau.

« Je suis heureuse que tu sois venu, Fynn », murmura-t-elle. « Je t'aime, Fynn. »

J'aurais voulu dire « Moi aussi », mais rien ne se passa. J'avais le sentiment bizarre de faire face à deux directions différentes. Je voulais retrouver la sécurité du cadre familier, et en même temps, j'aurais voulu revivre cet instant extraordinaire. Du milieu de mon brouillard, je m'aperçus qu'on me ramenait à mon lit, et que j'étais totalement épuisé. Une fois allongé, je tentai de recomposer les choses, de retrouver le point à partir duquel reposer les questions. Mais les mots ne s'agençaient pas de façon cohérente. La terre ne se remit à tourner que lorsque je sentis qu'on me mettait une tasse de thé dans la main.

« Bois, Fynn, bois tout. »

Anna était assise sur le lit ; elle avait enfilé mon vieux

tricot bleu sur son pyjama. C'était elle qui avait fait le thé brûlant, bien sucré, une tasse pour chacun. Je l'entendis gratter une allumette, et suffoquer un peu en allumant la cigarette qu'elle me coinça entre les lèvres. Je me dressai sur un coude.

« Qu'est-ce qui s'est passé, Fynn ? », demanda Anna.

« Dieu seul le sait, dis-je. Tu dormais ? »

« Ça fait longtemps que je suis réveillée. »

« Je croyais que tu faisais un cauchemar. »

« Non, elle sourit, je disais ma prière. »

« Mais la façon dont tu pleurais... j'ai cru... »

« C'est pour ça que tu as pleuré ? »

« J'sais pas. Peut-être. Tout s'est vidé d'un coup. C'était drôle. J'ai cru que je me voyais moi-même, un instant. Ça faisait mal. »

Elle ne répondit pas tout de suite, puis elle baissa le ton. « Oui. Je sais. »

Trop fatigué pour rester accoudé, je me retrouvai soudain la tête posée sur le bras d'Anna. Ça n'était pas normal, ç'aurait dû être l'inverse, mais c'était ainsi et je me rendis compte que ça me plaisait, que j'en avais besoin. Nous demeurâmes ainsi un bout de temps, mais j'avais des questions à lui poser.

« Pitch', dis-je, pourquoi tu demandais à Dieu de poser les vraies questions ? »

« Oh, c'est un peu triste, c'est tout. »

« Qu'est-ce qui est triste ? »

« Les gens. »

« Ah bon. Qu'est-ce qu'ils ont de triste ? »

« Ils devraient devenir plus sages en vieillissant. Comme Bossy et Patch. Mais c'est le contraire. »

« Tu ne crois pas qu'ils le deviennent ? »

« Non. Leurs boîtes sont de plus en plus petites. »

« Leurs boîtes ? Je ne comprends pas. »

« Les questions sont dans des boîtes, expliqua-t-elle, et les réponses qu'ils se donnent sont juste de la taille des boîtes. »

« Ça, c'est pas facile ; continue. »

« Dur à expliquer. Les réponses entrent juste dans les boîtes. C'est comme avec les dimensions. »

« Ah ? »

« Si tu poses une question en deux dimensions, la réponse aussi est en deux dimensions. C'est comme une boîte. On peut pas en sortir. »

« Je crois que je vois. »

« Les questions les remplissent jusqu'au bord, et puis elles s'arrêtent. C'est une prison. »

« Peut-être que nous sommes tous dans une sorte de prison. »

Elle secoua la tête.

« Non, Mister God ne ferait pas ça. »

« Sans doute pas. Alors, quelle est la solution ? »

« Laisser vivre Mister God. Lui, il nous laisse vivre. »

« Et nous pas ? »

« Non. On le met dans des petites boîtes. »

« Ça m'étonnerait qu'on fasse une chose pareille. »

« Tout le temps. Parce que nous ne l'aimons pas vraiment. Il faut le laisser libre. C'est ça, l'amour. »

Anna cherchait Mister God, et ce qu'elle désirait, c'était de mieux le comprendre. Sa quête était sérieuse mais gaie, sincère mais insouciante, respectueuse mais impertinente, obstinée, et cependant fantasque. Que deux et un fassent trois était pour Anna un signe de l'existence de Dieu. Non pas qu'elle eût jamais douté qu'il existât, mais il était bon qu'il y eût des signes. Un autobus, une fleur, étaient également des signes. Je ne sais comment elle en vint à cette vision des choses. A vrai dire, elle devait l'avoir avant de me rencontrer. Mais j'eus la chance d'être auprès d'elle pendant qu'elle progressait dans ses « opérations ». C'était quelque chose de grisant de l'entendre, l'impression de voler de ses propres ailes ; et l'observer, c'était, subitement, apprendre à voir. Des preuves de Mister God ? Il n'y avait rien qui ne fût une preuve de Mister God. Tout témoignait pour lui, et c'est là où les choses commençaient à nous échapper.

Il y avait trop de manières d'accommoder les preuves. Ceux qui adhéraient à un système recevaient l'appellation correspondante. Et ceux qui les accommodaient autrement recevaient une autre estampille. Anna calcula que le nombre de combinaisons possibles des preuves avoisinait le « fourmillion » et correspondait à autant d'appellations. Le problème se compliquait encore si l'on tenait compte des synagogues, mosquées, temples, églises et autres lieux de culte, sans exclure les laboratoires de recherche scientifique. Car personne ne pouvait raisonnablement et sincèrement dire que tous ces gens n'aimaient pas et ne révéraient pas Mister God, même s'ils lui donnaient quelque autre nom, comme « Vérité ». Elle n'avait ni les moyens, ni l'intention d'affirmer que le Dieu d'Ali était inférieur au Mister God qu'elle connaissait, et ne pouvait pas non plus prétendre que son Mister God était plus grand, plus important que le Dieu de Kathie. Parler de Dieux différents était insensé ; il y avait de quoi devenir fou. Pour Anna, c'était tout ou rien, il ne pouvait y avoir qu'un seul Mister God. Et dans ce cas, la différence de lieux de culte, la différence d'appellation donnée aux croyants, la différence de rituels pratiqués par les fidèles découlaient simplement d'une chose et d'une seule, de la différence dans l' « arrangement » des preuves de Mister God.

C'est au piano qu'Anna trouva une solution satisfaisante à ce problème. Je joue du piano depuis toujours, mais je ne sais pas lire une note. En écoutant un thème, je puis le reproduire à l'oreille, mais si j'essaie de déchiffrer la partition, c'est une catastrophe. Les petites boules noires me donnent le tournis. Tout ce que j'ai pu déchiffrer au piano, je l'ai pris sur ces feuillets de musique populaire d'avant-guerre où des constellations de points indiquent les doigtés sur le yokolélé — ou la guitare — pendant qu'un signe convenu, sous les portées, donnent l'accord : *do* m7, *do* mineur septième. Voilà comment j'ai appris la musique ; cela ne va pas très loin, mais il y a au moins un avantage. Avec une poignée de notes, on peut former tel ou tel accord, ou tel autre ; tout dépend de la place qu'y occupent les notes.

C'est la méthode que je choisis pour initier Anna au

piano. Bientôt, elle fut rompue aux accords majeurs, aux accords relatifs mineurs, aux accords de septième mineure, aux accords de septième diminuée, et aux renversements. Elle les connaissait par leur nom, les identifiant, et mieux encore, elle savait que le nom donné à un bouquet de notes dépendait du lieu où l'on se situait et de ce que l'on faisait. Evidemment, il fallut affronter la question de savoir pourquoi la poignée de notes prenait le nom d'« accord ». Le dictionnaire vint à la rescousse. Un « accord », nous dit-il, était un « consentement ». Nous en restâmes là.

Je n'eus pas plus de quelques heures à attendre avant de voir Anna, les yeux écarquillés, bouche bée, se faire le portrait même de l'étonnement. Elle s'arrêta net dans son jeu de saute-mouton et se dirigea lentement vers moi.

« Fynn, sa voix déraillait un peu vers les aigus, Fynn, nous jouons tous le même accord. »

« Ça ne m'étonne pas, lançai-je. Et de quoi s'agit-il exactement ? »

« Fynn, tu sais, tous ces noms qu'on donne aux Eglises ? »

« Quel rapport ? », demandai-je.

« Nous jouons tous le même accord, pour Mister God, mais avec des noms différents. »

C'était ce qui rendait le commerce d'Anna si passionnant. Quand elle avait constaté un fait dans un domaine, elle jouait avec jusqu'à ce qu'elle eût découvert son fonctionnement, puis, elle cherchait autour d'elle, dans un autre domaine, une fonction analogue. Elle avait beaucoup de considération pour les faits d'observation, mais l'importance d'un phénomène n'était pas d'être unique, au contraire, c'était de pouvoir servir dans d'autres domaines. Si Anna avait eu connaissance d'un argument convaincant en faveur de l'athéisme, elle l'aurait taquiné, jusqu'à ce qu'elle en eût bien saisi le mécanisme, et l'ayant dévisagé sous tous les angles, elle aurait démontré que cet argument était un ingrédient nécessaire à l'existence de Mister God. L' « accord » de l'athéisme était peut-être « dissonant », mais les dissonances, « C'est chouette ! », disait Anna.

« Fynn, le nom de tous les accords... », commença-t-elle.

« Eh bien ? », dis-je.

« La première note ne peut pas être Mister God, parce que nous ne pourrions pas lui donner des tas de noms différents. Ils auraient tous le même nom. »

« Là, tu as raison. Mais alors, la première note, qu'est-ce que c'est ? »

« C'est toi, ou moi, ou Ali. Fynn, c'est tout le monde. C'est pour ça que les noms sont différents. C'est pour ça qu'il y a des tas d'Eglises. C'est comme ça. »

Logique, vous ne trouvez pas ? Nous jouons tous le même accord, et on dirait que nous ne le savons pas. Vous appelez votre accord *mi* majeur, et moi, les mêmes notes, je les nomme *do* mineur septième. Je me dis chrétien, et vous ? Je pense que Mister God doit être bon musicien. Il connaît tous les accords par leur nom. Peut-être cela lui est-il égal que vous jouiez celui-ci, ou celui-là, du moment que vous jouez.

Chapitre neuf

Etait-ce parce qu'Anna et moi nous nous étions rencontrés la nuit, était-ce à cause des surprises qu'elle ne cessa de nous réserver ? La nuit était, pour nous, magique. Les mille visions et rumeurs du jour se faisaient plus rares, plus abordables. Elles se décantaient, se scindaient, cessaient de s'embrouiller, et des choses se produisaient dans l'ombre qui n'auraient jamais eu lieu au soleil. Quoi de plus habituel que de converser la nuit avec un réverbère ? Faites-en autant de jour, et on appellera l'ambulance.

« J'aime bien le soleil, dit Anna, mais il éclaire si fort qu'on ne voit pas très bien. »

Je tombai d'accord. Le soleil est parfois si éblouissant qu'on en est aveuglé. Mais ce n'était pas ce qu'elle voulait dire.

« Ton âme, elle va pas loin, le jour, parce qu'elle s'arrête à ce que tu vois. »

« Tu crois que ça veut dire quelque chose ? »

« La nuit, c'est mieux. Ça étire ton âme jusqu'aux étoiles. Et ça, dit-elle lentement, c'est très très loin. La nuit, rien ne t'empêche de sortir. Comme tes oreilles. Le jour, il y a tellement de bruit que tu n'entends rien. La nuit, si. Elle t'étire. »

Inutile de discuter. C'est la nuit qu'on s'étire. Et nous, souvent, on « se tirait » la nuit !

Maman n'a jamais eu un mot contre nos virées nocturnes. Maman savait qu'il fallait absolument se tirer, s'étirer, d'ailleurs, elle-même avait été champion. Si elle avait pu, elle nous aurait accompagnés. « Amusez-vous bien, disait-elle, et ne vous perdez pas. » Elle n'avait pas peur qu'on se perde dans les rues de Londres, mais dans les étoiles. On n'avait pas besoin de lui expliquer. Elle savait que « se perdre » et « trouver son chemin » étaient les deux faces de la même médaille. On n'avait pas l'un sans l'autre.

Maman était géniale ; en tout cas, c'était une mère comme on n'en fait pas. « Pourquoi ne sortez-vous pas ?, disait-elle, il y a une vraie tempête. » Quel que fût le mauvais temps, Maman nous suggérait toujours de sortir, pour s'amuser, pour voir comment c'était. Dehors, dans la rue, des fenêtres s'ouvraient en catastrophe et les autres mamans se décrochaient la voix à crier : « Fred, Bert, Betty, Sadie, veux-tu rentrer de sous cette pluie ! Tu vas être trempé jusqu'à l'os. » Mais orage ou tempête, pluie ou neige, jour ou nuit, on nous encourageait toujours à « aller voir comment c'était ». Maman n'avait pas à nous protéger des « œuvres de Dieu », comme elle disait. Elle nous protégea longtemps contre nous-mêmes, allumant sous la grande bouilloire pour qu'il y ait beaucoup d'eau chaude à notre retour. Elle le fit pendant des années, jusqu'à ce que nous ayons assez de bon sens pour le faire nous-mêmes ; alors, elle cessa.

Mais ce qu'il ne fallait pas manquer, disait-elle, c'était d'avoir passé toute une nuit dehors.

Les « gens de la nuit » étaient merveilleux. Les « gens de la nuit » aimaient parler. Ceux qui nous prenaient pour des fous ou des idiots n'étaient pas nombreux. Bien sûr, il arrivait qu'on me dise franchement ce qu'on pensait de moi. « Vous êtes complètement fou de sortir une enfant à une heure pareille. » « Vous devriez être dans votre lit, plutôt que de venir faire des mauvais coups. » Ces gens-là étaient persuadés que la nuit était faite pour les sales besognes, les mauvaises actions, les choses « pas catholiques ». Les bien-pensants se mettaient au lit le soir. Ne restait plus dehors que les « méchants », les loups, et Pied-Fourchu. Nous avons eu de la chance : pendant toutes nos ballades nocturnes dans les rues, nous n'avons jamais rencontré de « méchants », ni de loups, ni même Pied-Fourchu, mais de braves gens. Au début, nous essayions d'expliquer que c'était nous qui avions décidé de sortir, que nous aimions la nuit, mais cela ne faisait que confirmer les bien-pensants dans leur idée que nous étions fous. Alors, nous n'expliquâmes plus rien.

Une fois, au moment de les quitter, Anna me dit : « C'est drôle, Fynn, tous les gens de la nuit ont des noms. »

Et c'était vrai. On tombait sur une bande de gens de la nuit réunis autour d'un feu, et avant d'avoir pu dire « Ouf ! » on avait eu droit aux présentations. « Ça, c'est Lil, elle est un peu braque, mais c'est une chic fille. » « Ça, c'est Pierre-à-Briquet. » Son vrai nom devait être Robert Machinchouette, mais tout le monde l'appelait « le vieux Pierre-à-Briquet... »

Cela provenait sans doute de ce que les « gens de la nuit » avaient le temps de se parler, ou de ce qu'ils n'étaient pas trop obsédés par l' « efficacité », en tout cas, parler et partager, partager et parler, était leur unique occupation.

Une de ces nuits-là, on se passait le goulot à la ronde, de main en main. Chacun torchait le goulot avec sa manche sale avant de prendre sa lampée. A mon tour : je donnai un coup de manche, et pris une grande gorgée. J'aurais dû m'abstenir. Mon estomac fit la pirouette et tout en moi se racornit. Toussant et suffocant, les yeux pleins de larmes, je passai la bouteille au voisin. Ça avait le goût de vernis allongé de nitroglycérine. Une gorgée avait valeur d'expérience, deux valeur de châtiment, et trois signifiaient une mort lente, j'en étais sûr.

« C'est ton premier coup, poulet ?, dit le vieux Pierre-à-Briquet.

« Oui, lâchai-je, et le dernier. »

« Ça devient meilleur quand on continue », dit Lil.

« Comment appelez-vous ce truc ? » J'avais retrouvé mon souffle.

« Du rouquin, c'est comme ça qu'on l'appelle », dit Pierre-à-Briquet.

« Ça tient chaud quand il fait frisquet. »

« Ça a le goût du mazout, oui » , dis-je.

La vieille Lil gloussa.

« Tu causes, mais tu verras, t'y prendras goût. »

Anna voulait goûter. J'en versai une goutte sur un coin

de mon mouchoir, m'attendant un peu à ce qu'il prenne feu. Elle suça le coin d'étoffe et fit une grimace.

« Bouha », dit-elle, c'est horrible.

Ils éclatèrent de rire.

Bizarre qu'ils aient conservé le rite d'essuyer le goulot avant de boire, — cela devait dater de jours meilleurs. Parce qu'avec ce breuvage, aucun microbe ne pouvait approcher à moins de trente centimètres sans se désintégrer.

Forts de cette expérience nous ne bûmes jamais plus que du thé ou du chocolat. Assis sur de vieux bidons d'essence ou sur des caisses, nous buvions dans des gamelles cabossées en rôtissant des saucisses piquées sur des bâtons, et nous causions.

Bill le Forçat, toujours à fond de cale, nous racontait les aventures qu'il avait eues sur le pont. Il en avait tant vu qu'il avait dû en vivre au moins quatre par jour, des aventures. Elles n'étaient pas vraies, et alors ? C'était de l'invention, de la poésie pure. Les étoiles étiraient jusqu'à elles la personnalité, brisaient les barreaux de la prison, libéraient l'imaginaire.

De son trône-bidon, Anna régnait au centre des regards. Son visage rayonnait à la lueur du feu en écoutant les exploits des gens de la nuit. Elle-même participait, à l'occasion, par une petite danse, une chanson ou une histoire.

Une nuit, Anna commença une histoire. Le vieux Pierre-à-Briquet la saisit et la déposa sur une caisse. Et debout, sous le regard d'une bonne vingtaine de gens de la nuit, elle raconta l'histoire du roi qui allait faire trancher la tête à quelqu'un, quand la vue du sourire d'un tout petit enfant le fit changer de sentiment. Les êtres oscillaient à l'unisson et Bill le Forçat dit : « C'est puissant, un sourire, sans blague. Moi, ça me rappelle le temps où... » ; et le voilà reparti dans une nouvelle aventure fantastique.

Ce fut un soir d'avril, où il faisait frais, que nous rencontrâmes pour la première fois le Vieux Woody. Les gens de la nuit l'entouraient d'un grand respect ; il était remarquablement bien élevé, distingué, et parfaitement à l'aise dans sa vie. Le Vieux Woody était grand, droit comme un I,

son nez était busqué et ses yeux regardaient très loin, du côté de l'infini. Sa voix ressemblait aux marrons grillés, elle était chaude et sombre. Quand le Vieux Woody souriait, seuls les coins de sa bouche tressaillaient ; ce n'était pas là qu'on voyait son sourire, mais dans ses yeux. Ses yeux vous enveloppaient, si pleins de bonnes choses que lorsqu'ils souriaient tout se répandait sur vous.

Quand nous entrâmes dans la lueur que diffusait le feu, le Vieux Woody leva la tête et nous toisa pendant plus d'une minute. Personne ne parlait. Ses yeux passèrent de moi sur Anna, et là, ils se fixèrent. En souriant, il lui tendit la main, et Anna s'approcha pour la saisir. Longtemps, ils se contemplèrent, répandant l'un sur l'autre tant de bonté qu'on aurait cru que leur sourire allait éclater. Ils étaient de la même race et n'avaient pas besoin du langage. Tenant Anna devant lui, il dit, sans la quitter du regard :

« Cela n'est pas tout à fait de ton âge, hein ma petite ? »

Anna garda le silence, afin de mettre à l'épreuve le Vieux Woody. Mais il n'attendait pas de réponse, il n'était pas inquiet, il avait tout son temps.

L'épreuve était concluante, il eut sa réponse.

« J'ai l'âge de vivre, M'sieu », dit tranquillement Anna.

Le Vieux Woody sourit, tira près de lui une caisse, et la montra doucement de la main. Anna s'assit.

Comme je me retrouvai planté là, je me débrouillai pour tirer un cageot et me joignis au cercle. Le silence régnait depuis plus de trois minutes. Le Vieux Woody bourrait sa pipe, aspirant de temps en temps pour voir si elle tirait bien. Tout étant comme il fallait, il se leva pour l'allumer au feu. Avant de se rasseoir, il posa sa main sur la tête d'Anna et dit quelque chose que je n'entendis pas. Ils rirent. Le Vieux Woody savoura une longue bouffée.

« Aimes-tu la poésie ? », demanda-t-il.

Anna hocha la tête. Le Vieux Woody tassa du pouce le tabac rougeoyant dans le fourneau de sa pipe.

« Sais-tu, dit-il, sais-tu ce qu'est la poésie ? »

« Oui, dit Anna. C'est un peu comme la couture. »

« Haha, dit le Vieux Woody, et que veux-tu dire par couture ? »

Je vis qu'Anna jonglait avec les mots dans son esprit.

« Eh bien, c'est quand, avec des tas de bouts différents, on fait quelque chose de tout nouveau. »

« Hum, dit le Vieux Woody. Je trouve que c'est une bonne définition de la poésie. »

« M'sieu, dit Anna, est-ce que je peux vous poser une question ? »

« Bien sûr », dit le Vieux Woody.

« Pourquoi vous n'habitez pas dans une maison ? »

Le Vieux Woody regarda sa pipe et fourragea dans sa barbe avec son pouce. « Je ne crois pas qu'il y ait une vraie réponse à cette question. Pas posée de cette manière. Veux-tu la poser autrement ? »

Anna réfléchit un moment et dit : « M'sieu, pourquoi aimez-vous vivre dans le noir ? »

« Vivre dans le noir ?, dit en souriant le Vieux Woody. Je peux répondre facilement, mais me comprendras-tu, je me demande. »

« Oui, si c'est une réponse », dit Anna.

« Bien sûr, si c'est une réponse, tu comprendras. Et seulement si c'est une réponse. Il marqua un temps. Aimes-tu l'obscurité ? »

Anna acquiesça. « Ça étire. Ça agrandit la boîte. »

Il eut un petit rire. « Hé oui, hé oui. » Il poursuivit. « La raison pour laquelle je préfère l'obscurité, c'est que, dans le noir, on doit se définir soi-même. A la lumière du jour, ce sont les autres qui nous définissent. Comprends-tu cela ? »

Anna sourit, et le Vieux Woody étendit une main parcheminée, ferma doucement les paupières d'Anna, lui saisit les deux mains et se retourna vers l'intérieur de lui-même. Ce coin de Londres, qui, le jour, est un dépôt d'ordures, prenait, à la lueur du feu, des teintes somptueuses.

Et la voix ferme et forte du Vieux Woody se mit à parler à son Dieu, à Anna, à l'humanité entière.

Non, ce n'est pas sur mes yeux que tu règnes,
Car ils discernent en toi mille défauts,
Mais c'est mon cœur qui aime ce qu'ils dédaignent.

Son rire rompit le charme. « Connais-tu celui-là ? C'est un des sonnets de Shakespeare [1]. » Et ses bras s'ouvrirent pour embrasser le monde. « Ils te diront comment développer ton cerveau et tes sens. Mais ce n'est encore qu'une moitié de l'homme. Ensuite, il faut épanouir le cœur et l'esprit. » Et il énuméra, en ponctuant chaque mot du tuyau de sa pipe sur sa vieille main. « Il y a le sens commun,

1. Sonnet CXLI. (NdT.)

la spéculation, l'imagination, le jugement, et la mémoire. » Le visage du Vieux Woody se tourna vers le ciel, son esprit valsait dans la douce clarté stellaire, pendant que son corps demeurait près de nous, à la chaleur du pauvre brasero. « Que personne ne te prive du droit de t'accomplir. Le jour est fait pour le cerveau et les sens, la nuit pour le cœur et l'esprit. N'aie jamais peur. Un jour, ton cerveau faiblira, ton cœur jamais. » Et il redescendit comme une comète, semant derrière lui une chevelure scintillante d'amour.

Il se leva, s'étira, passa en revue les visages alentour pour s'arrêter sur celui d'Anna. « Je vous connais, ma jeune dame, je vous connais bien. » Il ramena son manteau sur ses vieilles épaules, sortit du cercle lumineux et dédia à Anna un dernier sourire. Puis il tendit le bras pour réciter.

C'est ainsi que, des particulières,
Par abstraction, elle monte aux essences,
Qui, déguisées de mille noms et manières,
En nos esprits s'insinuent par les sens.

Et il disparut. Non pas complètement, car une partie de lui, la plus grande peut-être, demeura et demeure jusqu'à ce jour. Nous restâmes à contempler le feu une dizaine de minutes. Nous ne posâmes pas de question, car il n'y avait pas de réponse à attendre. Nous ne dîmes même pas au revoir aux gens de la nuit. Et nous, que laissions-nous derrière, en nous éloignant ?

Nous marchions à présent dans les rues de Londres, chacun dérivant sur ses pensées. Une balayeuse municipale nettoyait les saletés qu'avait laissées le jour. Elle fonçait sur nous, aspergeant la chaussée, le trottoir, ses grosses brosses cylindriques balayant le pavé pour les gens que le jour ramènerait à la vie.

Nous fîmes un bond de côté pour esquiver le jet quand il nous croisa.

Anna éclata de son rire le plus bruyant, tourna sur elle-même comme une toupie, et me montra du doigt l'engin qui s'éloignait.

« Les fées, c'est comme les fées ! »

« Quelles fées ? », dis-je en souriant.

« Dans l'histoire que tu m'as lue, avec Puck. »

Et voilà que la joie nocturne s'emparait aussi de moi. Je me mis à courir, je bondis sur une boîte à lettres et déclamai debout les stances de Puck à la nuit [1].

En éclaireur, portant balai,
Sous la porte je balayerai.

Titania, Reine des Fées, pirouettait autour de la boîte aux lettres. Au loin, un agent de police apparut, je pointai le doigt vers lui : « Ores ça. Esprit, où t'en vas-tu errant ? » Son cri : « Non mais, qu'est-ce que vous fabriquez là ? » se perdit dans nos éclats de rire. Je sautai de mon perchoir et, saisissant Anna par la main, je courus pour rattraper la balayeuse. Nous passâmes en vitesse à travers son jet d'eau, et nous arrêtâmes devant, essoufflés par le rire et la course.

« Regarde ! On dirait Mite et Graine-de-Moutarde ! » m'écriai-je.

« Non-non, c'est Fleur-de-Pois et Toile-d'Araignée ! » glapit Anna.

L'engin, en passant, nous trempa jusqu'aux genoux. Il avança encore sur quelques mètres et stoppa. Le jet fut coupé. La porte de la cabine s'ouvrit et Graine-de-Moutarde mit pied à terre. La vue d'un « Graine-de-Moutarde » d'un mètre quatre-vingt-dix, cent kilos, emmitouflé de laine jusqu'aux oreilles eut raison de nous, cramponnés l'un à l'autre, nous étions malades de rire. Graine-de-Moutarde avançait sur nous d'un côté. L'agent de police marchait sur nous de l'autre. Sans cesser de hurler de rire, nous nous engouffrâmes dans une rue latérale, et mîmes, entre nos poursuivants et nous, une distance salutaire. Au bout de la rue, nous vîmes Mite rejoindre Graine-de-Moutarde et le policier. De quoi pouvaient-ils donc parler ? De ces fous de jeunes, sûrement. Je repris la main d'Anna et nous courûmes sans arrêt jusqu'aux quais de la Tamise. Là, assis sur le parapet, nous sortîmes

1. *Songe d'une nuit d'été,* acte V, scène I. (NdT.)

nos sandwichs et, tout en mâchonnant, nous regardâmes passer sur le fleuve les péniches de nuit.

J'allumai une sèche. Anna descendit et commença une marelle solitaire sur le pavé. Elle s'éloigna de vingt mètres, revint, se planta devant moi.

« Salut, Fynn. » Elle tourna sur elle-même, faisant voler sa jupe.

« Je vous salue, Anna », fis-je en inclinant le buste, et en tendant le bras dans un geste courtois.

La voilà repartie à cloche-pied sur l'air de « Un, deux, trois... », s'arrêtant pour tourbillonner sur elle-même, puis revenant à la course, ses doigts décrivant sur le mur une ligne ondulante. Elle s'arrêta à deux pas, fit demi-tour, et tira de l'autre main une nouvelle ligne.

Elle parcourut vingt-cinq ou trente fois ces quinze mètres de mur, y décrivant des ondes d'amplitude tantôt longue, tantôt courte, de fréquences tantôt lentes, tantôt rapides ; parfois, elle inversait le mouvement aussi vite que ses jambes le lui permettaient. Le mur ne gardait aucune trace de son activité, ne trahissait en rien ses pensées, restait aveugle, c'était sur un autre tableau, intérieur, qu'Anna dessinait.

A bout de course, elle s'arrêta sous la lueur du réverbère. Quand elle secoua la tête, une nuée d'étincelles s'éleva de ses cheveux, et retomba. Elle se mit à marcher, tête baissée, posant la pointe d'un pied contre le talon de l'autre, à pas de fourmi, sur les joints de pavés, selon un itinéraire imprévu que guidait seulement l'assemblage complexe des pierres. Avait-elle seulement conscience de ce qu'elle faisait ? De son attention, un centième seulement s'y consacrait, pendant que les quatre-vingt-dix-neuf autres s'étaient retournés vers l'intérieur. C'est drôle, comme j'avais appris à interpréter les signes. Nous en étions au prélude d'une « révélation » — si tout marchait « comme il fallait ». Je posai mes sèches et mes allumettes près de moi. Si j'avais bien interprété les signes, j'allais être occupé pendant au moins une heure.

Anna, son parcours achevé, avait échoué le long du mur où elle s'était appuyée, immobile. Toujours aussi absente, elle avançait les pieds le plus loin possible arqueboutée au mur, elle ne reposait plus que sur sa tête et ses talons. Je faillis lui crier de faire attention, mais cela n'aurait rien changé, elle était trop absorbée, elle n'aurait même pas entendu.

Pour revenir, elle ne marcha pas, elle ne sauta pas, ne sautilla pas, ne glissa pas, elle roula sur près de vingt mètres ; sa tête au mur et ses talons sur le trottoir, elle roula sur elle-même, et pour finir, se retrouva la tête entre mes mollets. Je l'entendis qui disait, à travers l'étoffe de mon pantalon :

« J'ai le tournis. »

« Ça m'étonne. »

« Le mur est dur », dit sa voix étouffée.

« Pas tant que ta tête. »

Ses dents se plantèrent sèchement dans ma jambe, pour m'avertir de ne pas faire le malin.

« Hé, ça fait mal ! »

« Ma tête aussi. »

« C'est bien ta faute. Espèce de cruche. Pourquoi as-tu fait ça ? »

« Je pensais. »

« Ah, tu pensais ? Dieu fasse que je ne pense jamais ! »

« Tu veux savoir à quoi je pensais, Fynn ? »

Elle leva les yeux vers moi.

« Si tu me laissais le choix, je dirais non », fis-je. Elle savait bien que je la taquinais, et son sourire me confirma qu'elle ne me laissait pas le choix.

« Ça peut pas être la lumière », prononça Anna comme une vérité incontestable.

« Très bien, dis-je, mais si c'est pas la lumière, qu'est-ce que c'est ? »

« Mister God peut pas être la lumière. » Les mots fusaient comme des éclats de pierre sous le burin intellectuel d'Anna.

Je voyais d'ici Mister God se pousser un peu sur le bord de son trône et se pencher pour voir entre deux nuages, légèrement inquiet d'apprendre dans quel genre de moule on allait cette fois tenter de le faire tenir. Je faillis lever la tête pour dire « T'en fais pas, M'sieu God, te tourne pas les sangs. T'es en bonnes mains. » Mister God doit en avoir marre de toutes les formes que nous avons voulu lui donner, depuis des millénaires, et ça n'est même pas fini...

« Il peut pas être la lumière, hein Fynn ? »

« Langue au chat, Pitch', langue au chat. »

« Il peut pas, parce que, toutes les petites ondes, qu'on voit pas, et toutes les grandes, qu'on voit pas, qu'est-ce qu'on en ferait, Fynn ? »

« Je comprends. Ça ne serait pas du tout pareil, si on pouvait voir ces ondes-là. »

« Je crois que la lumière, elle est au-dedans de nous. J'crois que c'est comme ça. »

« Peut-être bien. Tu as peut-être raison », dis-je.

« Je crois que c'est fait pour qu'on *voie* comment voir, dit-elle en hochant la tête. J'crois que c'est comme ça. »

Là-haut, Mister God — pardonnez l'expression — se tapa sur les cuisses et se tourna vers l'armée des anges. « Qu'est-ce que vous pensez de ça, hein ? Qu'est-ce que vous en pensez ? »

« Ouais, poursuivit Anna, la lumière de Mister God au-dedans de nous est faite pour qu'on voie la lumière de Mister God au-dehors, et Fynn... » Elle sauta, tout excitée à l'idée de pouvoir boucler la boucle. « La lumière de Mister God au-dehors de nous est faite pour nous faire voir la lumière de Mister God au-dedans. »

Elle rechanta ce refrain pour elle-même en silence. Et, avec un sourire à faire paraître triste le chat de Cheshire, elle ajouta : « C'est pas chouette, Fynn ? C'est pas chouette ? »

Je lui accordai que c'était chouette, très chouette, mais j'avais ma ration pour cette nuit, il m'aurait fallu quelque temps pour digérer. Mais Anna venait seulement d'atteindre son allure de croisière.

« Fynn, tu me donnes les craies ? »

Pendant que je fouillais mes poches à la recherche de la boîte, je pus reprendre mon souffle.

Les trois manières de sortir avec Anna se répartissaient aisément ainsi : premièrement, « se tirer », comme nous faisions cette nuit-là. Cela n'exigeait pas grand-chose. Deux petites boîtes en fer contenant des craies de couleurs, des ficelles, des bouts de laine, des élastiques, un ou deux petits flacons, papier, crayon, épingles, et quelques autres bricoles et bidules de ce style.

Deuxièmement : « Allez se promener. » C'était déjà plus compliqué. En sus des deux boîtes de « se tirer », il fallait des affaires comme un filet de pêche, des pots de confiture, des boîtes de diverses tailles, des gamelles, des sacs, etc. En principe, il aurait fallu se faire suivre d'un camion de cinq tonnes, chargé de l'équipement indispensable à la « promenade ». Si notre Mère la Nature avait été plus clémente envers les pucerons, scarabées, chenilles, grenouilles et autres bestioles qu'Anna rapportait de ses « promenades », j'imagine que Londres serait retourné à l'état sauvage. Nous aurions nagé dans les coléoptères et les batraciens.

Troisièmement venait la « promenade à objectif déterminé ». Expérience redoutable, apte à vous donner des cauchemars pour le reste de l'existence. Le matériel répondant aux exigences de la « promenade à objectif déterminé » eût aisément meublé une douzaine de palais d'exposition. Il se composait d'accessoires annexes comme une ou deux installations de forage pétrolier, des compresseurs, une échelle de trente mètres, une cloche de plongée, une ou deux grues, et quelques autres bricoles. En parler seulement me fait mal. Après nos trois « promenades à objectif déterminé », je mis une semaine à retrouver l'usage de mon dos.

Dans ces conditions, le transport des craies ne posait pas de problème. Elles me suivaient partout, au point que j'imaginais volontiers, disons, à l'Opéra, qu'un machiniste arrêtait le spectacle pour demander : « Quelqu'un dans l'assistance aurait-il des craies ? », et je disais « Certainement. Quelles couleurs voulez-vous ? » Tonnerre d'applaudissement. Triomphe. Mais personne ne me les demandait jamais, sauf Anna. Encore n'était-ce pas pour créer l'imaginaire, mais pour l'expliquer.

Je lui passai les craies. Elle se mit à genoux et traça un grand cercle rouge sur le pavé.

« Ça, ça serait moi », dit-elle.

Elle cribla littéralement de points l'extérieur du cercle

et en fit autant de l'intérieur. Puis elle me fit descendre de mon perchoir. J'allai m'agenouiller près d'elle. Je vis que son regard s'arrêtait à un arbre.

« Ça, dit-elle, c'est ça. » Elle désigna un point à l'extérieur du cercle et y fit une croix. Puis, désignant ce point extérieur, elle dit : « Voici le point hors du cercle, et voilà l'arbre » et, le doigt posé sur le « point de l'arbre » à l'intérieur du cercle, elle poursuivit : « Et ça, c'est l'arbre dans moi. »

« J'ai déjà vu ça quelque part, » murmurai-je.

« Et ça, s'écria-t-elle triomphalement, en posant le doigt sur un point extérieur, ça, c'est un éléphant volant. Mais dehors, où est-il, Fynn ? Où est-il ? »

« C'est un animal qui n'existe pas. Il ne peut pas être dehors », expliquai-je.

« Alors, comment il est entré dans ma tête ? » Elle s'assit sur ses talons et me dévisagea.

« Va savoir comment les choses t'entrent dans la tête ! Mais un éléphant volant, c'est de l'imagination pure, ce n'est pas réel. »

« Et mon imagination, elle est pas réelle, Fynn ? » Un petit coup de menton appuyait la question.

« Bien sûr que si, elle est réelle, ton imagination, mais ce qui en sort ne l'est pas nécessairement. »

« Alors, comment c'est entré là-dedans... », elle tapa de la main dans le cercle, « ...si ça n'était pas là-dehors ? » Et elle tapa encore quelques coups. « Comment c'est entré ? D'où ça vient ? »

Heureusement, je n'étais pas obligé de répondre. Elle était lancée. Elle se leva, et parcourut le schéma de son univers.

« Y a des tas de choses là-bas, qui ne sont pas là-dedans. »

Elle sauta des confins de son univers au milieu de son cercle personnel et s'agenouilla.

« Fynn, t'as aimé ma peinture ? »

« Beaucoup, dis-je, je la trouve très belle. »

Elle posa ses mains sur ses hanches.

« Où était-elle ? »

Je désignai un point extérieur au cercle.

« Là, j'imagine. »

A reculons, elle sortit du schéma, puis pointant le doigt vers le centre du cercle, elle déclara :

« Là ! C'est là que je l'ai peinte, dedans moi. »

Elle garda le silence quelques longues secondes, puis, balayant d'un geste le dessin, elle dit sur un ton d'incertitude : « Quelquefois, je ne sais plus si je suis enfermée dedans, ou enfermée dehors. »

Touchant tour à tour des points intérieurs et extérieurs, elle poursuivit : « C'est drôle, quelquefois, en regardant dedans, on trouve une chose qui est dehors, et quelquefois, en regardant dehors, on trouve quelque chose qui est dedans. C'est vraiment bizarre. »

Accroupis dans la direction sud-est de l'univers d'Anna, nous aperçûmes trop tard une paire de bottines cirées noires se planter dans le secteur nord-ouest, pendant qu'une voix disait : « Mais, c'est Monsieur Puck et Madame Titania ! »

« Bon sang, voilà Obéron ! » murmurai-je en reconnaissant l'agent de police.

« Vous n'avez donc pas de domicile où coucher ? Et qu'est-ce que c'est que ces façons de faire des dessins sur le trottoir ? »

« Si, si, nous avons un domicile », protestai-je.

« C'est pas un dessin, M'sieu », dit Anna, toujours à croupeton sur le pavé.

« Et qu'est-ce que c'est, alors ? », demanda l'agent.

« C'est Mister God. Ça, c'est moi, ça, c'est dans moi, et ça, c'est dehors. Mais tout ça, c'est Mister God. »

« Je veux bien, dit l'agent, mais c'est quand même un dessin sur le trottoir, et c'est interdit. »

Anna étendit la main pour repousser une paire de quarante-quatre hors de son univers. L'agent de police baissa la tête.

« Vous avez écrabouillé des millions d'étoiles », lui dis-je.

L'agent avait beau représenter la loi et l'ordre public, Anna s'intéressait à une loi et à un ordre supérieurs.

« Ça, c'est vous, M'sieu, continua Anna imperturbablement, et ça, c'est vous dans moi. Pas vrai, Fynn ? »

« Ouais, M'sieu l'agent, ça c'est vous, y a pas de doute », confirmai-je.

« Seulement, vous n'êtes pas vraiment comme ça. Vous êtes comme ça. » Elle se poussa de côté et traça un autre grand cercle qu'elle remplit de points.

« Ça, c'est moi dans vous, dit-elle en montrant un point, mais ce point, en réalité, c'est ce cercle, c'est moi. »

L'agent de police, penché sur l'univers d'Anna, fit « Haha ! » d'un air compréhensif. Il me regarda en haussant le sourcil. Je haussai les épaules en réponse. Il pointa son quarante-quatre sur un point extérieur.

« Tu sais ce que c'est, ça, Titania ? »

« Quoi ? », dit Anna.

« C'est le Sergent. Il va passer d'une minute à l'autre, et si ce pavé n'est pas propre, vous allez vous retrouver là-dedans. » Et son pied dessina un grand cercle. « Tu sais ce que c'est ? Un commissariat. » Un large sourire adoucissait sa voix bourrue.

Anna prit le mouchoir que je lui tendis, et fit disparaître son univers du Quai de Westminster. Elle se redressa, secoua la poussière de craie du mouchoir, et me le rendit.

« M'sieu, dit-elle, vous travaillez souvent par ici ? »

« La plupart du temps », répondit l'agent.

« M'sieu. Anna prit sa main et l'entraîna vers le parapet. La Tamise, c'est l'eau, ou c'est le trou où ça passe ? »

L'agent la dévisagea quelques secondes, et dit : « L'eau, bien sûr. Un fleuve, c'est de l'eau. »

« Ça, c'est drôle », dit Anna. « C'est drôle, parce que quand il pleut, c'est pas la Tamise, mais quand ça passe dans le trou, c'est la Tamise. Pourquoi ça, M'sieu ? »

L'agent se tourna vers moi. « Elle se fiche de moi ? »

« Si peu, dis-je. Moi, on me mène en bateau toute la journée.»

L'agent avait eu son compte. « Allez, vous deux, rentrez chez vous, et que ça saute, sinon je vous... Attendez, un petit conseil. Prenez plutôt par là. » Il montra une direction. « Parce que Fleur-de-Pois et Toile-d'Araignée... » Il avait du mal à garder son sérieux. « ... vont débarquer par ici en moins de deux, et si vous êtes encore dans les parages — gare à Bottom ! — vous risquez la fessée. Compris ? » Il souriait, tout content de lui.

« Comédien, murmurai-je, le monde est plein de comédiens. »

J'attrapai la main d'Anna et l'entraînai. « Bravo, Pitch', joli travail ! Toute cette histoire de Tamise. »

« Mais Fynn, dit Anna, où ça commence-t-il ? Quand ça commence-t-il à s'appeler Tamise, et quand ça s'arrête ? Tu peux me dire quand, Fynn ? »

Le Vieux Woddy avait raison. Le jour forme les sens, la nuit affine l'esprit, libère l'imagination, aiguise l'invention, approfondit la mémoire, et bouleverse toute l'échelle des valeurs.

Je comprenais maintenant pourquoi les gens préfèrent dormir pendant la nuit. C'est plus facile. Beaucoup plus facile.

Chapitre dix

La guerre allait arriver, c'était plus que probable. Déjà on entendait dans les rues les ronflements obscènes des masques à gaz. Des hommes venaient monter des abris de tôle ondulée dans les arrière-cours. Les avis concernant les attaques au gaz, les sirènes, les abris, et le comportement à avoir « en cas de » proliféraient comme une lèpre. La gangrène de la guerre s'étendait. Les murs contre lesquels les gosses jouaient au ballon étaient devenus des panneaux d'affichage. La règle des quatre-coins, inscrite à la craie, était recouverte par le règlement du couvre-feu. On nous inculquait un nouveau jeu. Parfois, mais c'était rare, une instruction prenait une signification imprévue. « Les femmes enceintes sont priées de montrer leur dossier rose. » S'ils l'avaient écrit exprès, c'eût été drôle. Mais ils n'avaient pas fait exprès.

Le virus de la guerre se propageait aussi chez les gosses. Les balles n'étaient plus faites pour rebondir, mais pour tuer. Les bats de cricket servaient de mitraillettes. Bras étendus, les gamins criblaient un ciel imaginaire de « Tacatacatac ! », descendant des avions ou des convois ennemis. Un sifflement « Ssssss... Boum ! » et une douzaine d'enfants s'écroulaient en feignant l'agonie. « Pan, t'es mort. »

Anna s'accrochait à ma main, se serrait contre moi. Ce n'était pas un jeu qu'elle pouvait jouer, le « faire-semblant » était trop réel, et Anna voyait trop bien la réalité. Elle me tira jusqu'à la maison, et dans le jardin, où ce n'était pas mieux car au-dessus des toits, un ballon de barrage anti-aérien défigurait le ciel. Elle fit un tour complet sur elle-même pour voir où en était l'invasion des intrus. Et elle me regarda bien en face, tendit la main, une ombre passa sur ses traits.

« Fynn, pourquoi ? Pourquoi ? » Et elle cherchait une réponse sur mon visage. Je ne savais que dire.

Tombant à genoux, elle caressa du doigt les quelques fleurs sauvages qui poussaient dans notre cour. Bossy survint et frotta sa vieille caboche mitée contre sa jambe. Patch, étendu de tout son long, gardait sur elle un œil de sympathie. Je dus rester une bonne heure à l'observer pendant qu'elle explorait de la main et du regard les quelques mètres carrés du jardin. Délicatement, respectueusement, elle passait d'un insecte à une fleur, d'un caillou à une chenille. Je m'attendais à ce qu'elle pleure, à ce qu'elle se précipite dans mes bras, mais elle n'en fit rien. Comment savoir ce qui se passait en elle ? Tout ce que je savais, c'était que la blessure était profonde, peut-être trop profonde pour la consolation que je lui offrais.

J'avais pris une cigarette, mais je n'avais pas eu le temps de l'allumer que je l'entendis dire « Pardon ». Ce n'était pas à moi qu'elle parlait, ni à Mister God. Elle parlait aux fleurs, à la terre, à Bossy et à Patch, aux vers et aux insectes. Humaine, elle demandait pardon au reste du monde.

Je me sentis de trop et rentrai dans la cuisine en jurant. Bizarrement, je jurais plus souvent depuis que je connaissais Anna, ç'aurait dû être l'inverse. J'arrachai la cigarette de ma bouche. Elle s'était collée aux lèvres et j'eus l'impression de m'arracher la peau. Je jurai deux fois plus, mais cela ne me soulagea pas.

Je ne sais combien de temps je restai ainsi. Une éternité. C'est la violence de mon imagination qui me ramena dans le jardin. En pensée, je me retrouvai derrière une mitrailleuse, en train d'exterminer tous ceux qui avaient fait de la peine à Anna. Confondu par ma propre brutalité, je retournai dans la cour, craignant un peu que, mystérieusement, elle n'eût deviné mes pensées.

Elle était assise sur le mur du jardin, Bossy sur ses genoux. Elle m'accueillit par un sourire, certes pas le plus radieux, mais assez lumineux pour dissiper mes rêves de violence.

Je retournai mettre de l'eau à chauffer et, quelques minutes après, nous buvions ensemble une tasse de chocolat. Les questions me tourbillonnaient dans le crâne, mais je parvins à les retenir. Je voulais être sûr qu'elle allait mieux, et rien ne venait me rassurer tout à fait. En vérité, je savais qu'elle n'allait pas bien. Je savais que l'horreur de cette guerre menaçante l'avait profondément touchée. Non, elle n'allait pas bien, mais elle ne s'en sortait pas mal. L'imminence de la guerre la blessait jusqu'à l'âme, et c'était moi qui étais tourmenté.

Ce soir-là, comme elle allait se coucher, je l'invitai à venir dans mon lit, pour la réconforter, la protéger, bien sûr. Comme on se leurre volontiers en camouflant sa propre angoisse et l'attribuant à un autre ! Je sentais bien que, dans mon affection pour elle, sachant son chagrin, je ferais tout au monde pour la consoler. Mais au milieu de la nuit, je compris combien j'avais moi-même besoin d'être rassuré sur elle, combien son bonheur me protégeait, moi. Petite comme elle était — je le vis alors comme je le vois aujourd'hui — c'était l'être le plus sain, le plus limpide, le plus franc qui fût. Son aptitude à débrouiller le vrai du faux, le simple du compliqué, et à aller ainsi droit au cœur des choses, était surnaturelle.

« Fynn, je t'aime. » Quand Anna disait cela, les mots éclataient sous l'abondance de sens qu'elle y mettait. Son « Je » était une totalité. Quoi qu'elle en pensât, son « Je » était plein de vie, à ras-bord. Comme la lumière qui « n'éclate pas », le « Je » d'Anna ne s'éparpillait pas, il était homogène et d'une seule coulée. L'usage qu'elle faisait du verbe « aimer » n'était ni mièvre, ni sentimental, mais plein de force, de courage, d'encouragement. « Aimer », pour Anna, c'était reconnaître que l'autre était perfectible. Anna « voyait » clairement une personne : « Tu, te, toi. » Etre « vu » distinctement, sans rien garder caché, voilà qui avait de quoi émerveiller, et faire peur. J'aurais cru que seul Mister God pouvait nous voir clairement, totalement, mais comme Anna s'efforçait de ressembler à Mister God, peut-être avait-elle « pigé son truc », à force d'essayer.

Dans l'ensemble, il me semblait avoir compris l'attitude

d'Anna envers Mister God, mais il y a un aspect qui m'échappe toujours. Sans doute parce que « Tu as caché ces choses aux savants et aux sages pour les révéler aux petits ». J'ignore comment elle avait réussi, mais elle avait — pour ainsi dire — escaladé les murailles de la majesté divine, franchi la façade redoutable pour passer de l'autre côté. Mister God était « adorable », Mister God était drôle, il était un amour. Mister God était simple aux yeux d'Anna, sa nature ne posait pas de vrai problème. Le fait que souvent il paraissait « fausser » les mécanismes de sa création ne posait pas de question. Il était libre de le faire et ses raisons étaient bonnes, même si nous n'étions pas capables de les saisir.

Anna voyait, reconnaissait, admettait et respectait tous les attributs de Dieu que l'on discute tant. Auteur de toute chose, créateur de toute chose, tout-puissant, omniscient, au cœur même de tout, sauf de... Et cette exception, pour Anna, était la clé de tout. Cet exception était drôle, passionnante, c'est elle qui rendait Mister God aussi « adorable ».

L'étonnant était que personne ne l'ait vu — ou du moins, que personne ne veuille en parler. C'était une chose si étrange que seul Mister God aurait été capable de l'inventer. Toutes ses autres qualités, dont on parle tant à l'église, étaient splendides, et, disons-le, un peu effrayantes. Et après cela, voilà qu'il avait fait... ça. Et « ça » le rendait gentil, drôle, chouette.

Vous pouviez toujours nier que Mister God existe, mais aucune négation ne changeait rien au fait qu'il EST. Mister God EST, pivot, centre, cœur de toute chose, et c'est là que ça devenait drôle. En reconnaissant qu'il est tout cela, nous nous affirmons centre de nous-mêmes. C'est nous qui reconnaissons en Dieu notre centre. Et par là, nous entrons en Lui. C'est l'originalité de Mister God : Lui, qui est centre de toute chose, il attend dehors et frappe pour qu'on lui ouvre. C'est nous qui ouvrons la porte. Mister God n'enfonce pas la porte pour entrer, il frappe, et il attend.

Il fallait vraiment un Super-Dieu pour imaginer une chose pareille. Et lui, l'avait fait. Comme disait Anna, « c'est drôle, ça me donne bien de l'importance, tu te rends compte, Mister God se place en second ! ». Anna ne s'occupa jamais du « libre arbitre ». Elle était trop jeune pour cela, je pense. Mais elle était allée au cœur du problème. Mister God se place en second. Qu'est-ce que vous dites de ça ?

Vers dix heures du matin, un dimanche, Anna était levée depuis longtemps. D'une main, elle me secouait pour me réveiller, et de l'autre, elle tenait une tasse de thé. L'œil que j'ouvris enregistra le tremblement de la main gauche. Il était évident que la tasse viendrait me rejoindre dans mes draps, si Anna secouait plus fort. Je me poussai dans le lit pour échapper au désastre imminent.

« De grâce, laissez choir », implorai-je.

« Une tasse de thé, Fynn ! », et elle se laissa choir sur le lit. La tasse décrivit une dernière ellipse et se stabilisa. Elle en essuya le fond contre le rebord de la soucoupe et me la tendit. Il restait dans la tasse de quoi noyer une mouche ou deux, ou, en tout cas, de quoi les indisposer. J'éclusai ce qui restait et reçus sur le nez une demi-douzaine de sucres qui n'avaient pas fondu. Je fis la grimace.

« Tu appelles ça du thé ? »

« Bois ce qui est dans la soucoupe, je te la tiens. »

Je ne suis jamais très en forme au réveil, et il me fallut mes deux bras pour me redresser. Je m'assis, ouvris la bouche et fermai les yeux. La soucoupe vint heurter mes molaires quand elle l'introduisit en la basculant. Un tiers du thé coula dans mon gosier, et le reste dans mon col. Anna éclata de rire.

« C'est à boire qu'il me faut. La douche peut attendre. Allez, va m'en faire une autre. »

Je montrai la porte. Elle sortit.

« Fynn est réveillé !, cria-t-elle. Il veut encore du thé. Il a renversé cette tasse dans son pyjama. »

« Sois pardonnée », dis-je en ôtant ma veste et en m'épongeant la poitrine avec le pan resté sec.

Dans notre maison, on n'attendait pas longtemps sa tasse de thé. Chez nous, c'était comme le sérum dans un service des urgences. Toujours prêt. Le thé au safran était bon pour quelque chose, la fièvre, je crois. Le thé à la menthe, pour les flatulences. Le thé endort, le thé réveille. Sans sucre, il refraîchit, sucré, il donne du cœur, très sucré, il donne un coup de fouet. Au réveil, j'avais besoin d'un bon coup de fouet.

Anna entra avec une nouvelle tasse.

« Tu veux me faire deux roues à aubes, ce matin ? »

« On verra. Tu veux faire un pédalo ? »

« Non. Je fais une expérience. »

« De quelle taille, et pourquoi ? » demandai-je.

« Gros comme ça. Et ses mains firent un cercle d'environ huit centimètres. Et c'est pour trouver Mister God. »

C'était le genre de commande que je satisfaisais couramment. Après les bibles de pierre, pourquoi pas des roues à aubes ?

« Et est-ce que je peux avoir la grande baignoire, le tuyau d'arrosage, et une boîte avec un trou dedans ? Il me faudra autre chose, mais je ne sais pas encore. »

Pendant que je taillais les roues, Anna rassembla son matériel. Les roues furent montées sur des axes. Une grosse boîte de conserve cylindrique fut percée à sa base d'un trou d'un centimètre, l'une des roues à aubes soudée dans la boîte devant le trou. Au bout d'une heure d'activité fébrile, on me convoqua dans la cour pour voir fonctionner l'expérience Mister God.

Un tuyau raccordé au robinet remplissait d'eau la baignoire. La boîte à roue était au milieu, lestée de pierres. L'eau, en pénétrant par le trou, faisait tourner la roue. Un autre bout de tuyau faisait siphon, puisant l'eau dans la boîte et la déversant sur l'autre roue à aubes, qui tournait. Ensuite, l'eau allait à l'égoût. Je fis le tour du dispositif et haussai les sourcils.

« C'est bien, Fynn ? », demanda Anna.

« Pas mal. Mais qu'est-ce que c'est ? », demandai-je.

« Ça, c'est toi », dit-elle en désignant la boîte contenant la roue.

« Ça ne m'étonne pas. Et qu'est-ce que je fais ? »

« L'eau, c'est Mister God. »

« Vu. »

« L'eau du robinet va dans la baignoire. »

« D'accord. »

« Elle coule dans la boîte, c'est toi, passe par le trou et te fait marcher », dit-elle en montrant la roue qui tournait. Comme un cœur.

« Ah ! »

« Quand tu marches, ça ressort par ce tuyau, elle toucha du doigt le siphon, et ça fait tourner l'autre roue. »

« Et l'égoût ? »

Elle hésita.

« Ben, si j'avais eu une petite pompe, comme le cœur de Mister God, j'aurais pu tout ramener dans la baignoire. Alors, j'aurais pas besoin de robinet. Ça tournerait toujours en rond. »

Et voilà. Mister God en modèle réduit grâce à deux roues à aube. Indispensable dans tous les foyers. Je m'assis sur le mur et fumai une cigarette en nous observant, Mister God et moi, jouant au petit moulin.

« C'est pas bien, Fynn ? »

« Tu parles que si. Il faudra l'emporter à l'église, dimanche prochain. Ça aidera peut-être quelqu'un à se faire une idée. »

« Oh non, il faut pas faire ça. Ça serait mal. »

« Comment ça ? »

« Ben, c'est pas Mister God. Mais c'est un peu comme lui. »

« Et alors ? Sur toi, ça marche, et sur moi aussi, pourquoi pas sur quelqu'un d'autre ? »

« Ça marche, parce que toi et moi, on est bourrés. »

« Qu'est-ce que ça peut bien vouloir dire ? »

« Ben, si on est bourré, on peut se servir de n'importe quoi pour voir Mister God. Mais pas si on est pas bourré. »

« Comment ça, bourré ? Donne-moi un exemple. »

Elle n'hésita pas une seconde.

« La croix ! Si t'es bourré, t'en as pas besoin, parce que la croix, elle est dans toi. Mais si t'es pas bourré, la croix est dehors, devant toi, et t'en fais un truc magique. »

Elle tira sur ma manche. Nos yeux se rencontrèrent. Elle baissa le ton et dit lentement :

« Si ton cœur n'est pas bourré, alors, tu peux faire un truc magique avec n'importe quoi, et ça devient un bout de toi, en dehors de toi. »

« Et c'est mal ? »

Elle hocha la tête.

« Si tu fais ça, tu ne peux plus faire ce que Mister God te demande. »

« Mais que veut-il que je fasse ? »

« Que tu aimes tout le monde comme tu t'aimes toi-même, il faut que tu sois bourré de toi-même, pour t'aimer comme il faut. »

« Comme la personne, qui est presque toute en dehors », citai-je.

Elle sourit.

« Fynn, il y a pas plusieurs églises au Ciel, parce que, au Ciel, chacun est dans soi-même. »

Et elle poursuivit.

« Ce sont les bouts hors de soi qui font qu'il y a des églises, et des synagogues, et des temples, et des mosquées. Fynn, Mister God dit « Je suis. » Et il veut que nous le disions aussi. C'est pas facile. »

J'approuvai, tout en ouvrant de grands yeux.

« Je suis. » « C'est pas facile. » « Je suis. » Parvenez seulement à dire cela, à le penser, et, ça y est, vous êtes bon, vous êtes bourré, vous êtes tout à l'intérieur de vous. Vous n'avez plus besoin d'aller chercher dehors de quoi boucher le trou qui est dedans. Vous ne laissez plus de bouts de vous-même accrochés aux objets dans les vitrines, dans les catalogues, sur les panneaux publicitaires. Où que vous alliez, vous vous emportez tout entier, vous ne laissez rien traîner sous les pieds des passants, vous êtes tout d'une pièce, vous êtes ce que Mister God vous a voulu. Un « Je suis, » comme lui. Saperlotte ! Moi qui croyais qu'on allait à l'église pour trouver Dieu et le louer. Je n'avais aucune idée de ce que faisait Mister God. Tout ce temps passé par lui en heures supplémentaires, à essayer de faire entrer un peu d'intelligence dans ma caboche, à tenter de transformer « C'est » en un « Je suis ». Bien reçu. Compris. Terminé. Voilà un dimanche qui compterait.

Cette histoire de « Je suis » me tournait dans la tête. Etant donné l'importance qu'elle avait pour Mister God, je pensais devoir, et pouvoir, m'en occuper. La difficulté était de regarder en soi-même pour repérer les bouts qui manquaient. Cela une fois fait, le reste était simple. Au premier coup d'œil, je reclaquai la lucarne en vitesse. « C'est moi, ça ? » Vache de vache ! Cela ressemblait à un grand gruyère, c'était plein de trous. La remarque d'Anna « Tu es bourré, Fynn » m'apparut davantage comme un encouragement optimiste que comme un constat.

M'étant remis du choc, j'entrouvris une fente par laquelle je risquai un œil. Je ne mis pas longtemps à identifier l'un des trous. Il avait la forme d'une moto. Qui plus est, je la reconnus. Le trou encadrait exactement une moto de la vitrine du marchand de cycles de la Grand-Rue.

Avec de l'entraînement, l'identification des trous devint encore plus facile : un super-microscope, une espèce d'appareil de télé, une pendule qui donnait en même temps l'heure de Bombay, Moscou, New York, Londres et d'autres lieux. J'avais semé partout des bouts de moi qui avaient laissé leur découpe en creux, en moi-même. Je m'étais, disons, un peu dispersé. Ça avait dû se gâter à un moment quelconque. Au début, je n'avais pas tous ces trous. C'était la faute à ces saletés de banderoles qui ne cessaient de défiler « Plus vite », « Dépasse », « Une moto, c'est quelqu'un ! », « Une bagnole, c'est encore mieux ! », « Deux bagnoles ! Mec, t'as décroché le gros lot ! ». J'avais mordu à l'appât, avalé l'hameçon, et je m'étais laissé avoir comme un bleu. Les banderoles étaient en moi, et elles n'y étaient pas malheureuses. Plus il y en avait dedans, plus il y avait de bouts de moi disséminés dehors. « Une personne est presque toute en dehors. » Tu l'as dit...

Ce ne fut pas un miracle instantané, pas une soudaine révélation. Cela m'atteignit sans crier gare, mais encore aujourd'hui, je m'en occupe. Comme un enfant qui apprend un mot nouveau, je me retrouvais en train de me répéter « Je veux être moi », « Vraiment je veux, oui je veux être MOI. » En ce temps-là, les portes n'étaient pas trop dures à ouvrir. Le trou de la moto était encore là, mais il me sembla qu'il clignait un peu, comme une ampoule électrique défectueuse. Un jour, il s'éteignit. Il n'y avait plus de trou. Un bon bout de moi-même était revenu. Enfin, je progressais. Vérification faite, je commençais à me remplir, à me bourrer. Malgré la guerre, le monde n'était pas si laid que ça.

Chapitre onze

C'était une journée ensoleillée, splendide. La rue retentissait des jeux d'enfants. Ici au moins, les rires couvraient le bruit des armées en marche. Quand soudain le monde tomba en miettes.

Un seul cri tua le rire. C'était Jackie. Je me retournai à temps pour la rattraper comme elle se précipitait sur moi. Son visage était un masque livide de terreur.

« Fynn ! Mon Dieu. C'est Anna. Elle est morte ! Elle est morte ! »

Ses ongles me rentraient dans la chair des épaules. Une vague de peur, glacée, passa sur moi. Je descendis la rue en courant. Anna gisait sur la rambarde, agrippant de ses mains le sommet du mur. Je la soulevai dans mes bras. Ses yeux se rétrécirent sous le coup de la douleur.

« J'ai glissé de l'arbre », murmura-t-elle.

« D'accord Pitch'. Tiens bon. Je m'occupe de toi. »

Et, tout à coup, une terrible nausée me saisit. Du coin de l'œil, j'avais vu quelque chose, une chose qui me parut, par une étrange distorsion, plus horrible encore que l'enfant blessée que j'avais dans mes bras. Sa chute avait cassé le sommet d'un balustre. Moignon de fer brisé. Quelques années plus tôt, personne ne l'avait vu, et maintenant, il crevait les yeux. Le moignon métallique, les montagnes cristallines, rougissaient à présent de honte, de dégoût, du rôle qu'ils avaient ici tenu.

Je transportai Anna à la maison et la couchai dans son lit. Le médecin vint la panser et me laissa seul avec elle.

Je lui tenais les mains, scrutais son visage. La souffrance qui la faisait ciller céda sous le sourire qui, lentement, envahit ses traits. Le sourire triomphait. La souffrance s'était retranchée quelque part à l'intérieur. Dieu merci, elle guérirait, Dieu merci.

« Fynn, Princesse va bien ? » chuchota Anna.

« Très bien », répondis-je. Je n'en savais bougre rien.

« Elle était dans l'arbre, elle pouvait pas redescendre. Moi, j'ai glissé », dit Anna.

« Elle va bien. »

« Elle avait très peur. C'est un tout petit chaton. »

« Elle va très bien, très bien. Repose-toi. Je reste avec toi. N'aies pas peur », dis-je à Anna.

« J'ai pas peur, Fynn. J'ai pas peur. »

« Dors, Pitch'. Dors un petit peu. Je suis là. »

Ses yeux se fermèrent et elle s'endormit. Elle guérirait. Je le savais au fond de moi-même. Pendant deux jours, le sentiment que tout allait s'arranger domina sur ma peur. Son sourire, ses conversations passionnées au sujet de Mister God me le confirmaient. En moi, l'angoisse se dénouait. J'étais à la fenêtre quand elle m'appela.

« Fynn ! »

« Oui Pitch', qu'est-ce que tu veux ? » J'allai à elle.

« Fynn, c'est comme si je me retournais à l'envers ! » Elle semblait frappée d'un immense étonnement.

Une poigne glacée m'aggrippa le cœur et le serra. Je me souvins de Mémé Harding.

« Pitch', ma voix était trop forte, Pitch', réponds-moi ! »

Son regard réapparut. Elle sourit. Je courus à la fenêtre, l'ouvris. Cory était dehors.

« Va chercher le docteur, vite. »

Elle fit oui de la tête et partit en courant. D'un seul coup, je sus ce qui allait arriver. Je retournai à Anna. Ce n'était pas le moment de pleurer. Ce n'est jamais le moment. Autour de mon cœur, le froid gelait mes larmes. Je pris la main d'Anna. Dans mon esprit tournait l'idée que « quoi que vous demandiez en mon nom... ». Je demandai, je suppliai.

« Fynn, murmura-t-elle, et le sourire l'illumina, Fynn, je t'aime. »

« Moi aussi, je t'aime, Pich'. »

« Fynn, j'parie que Mister God m'laissera entrer au Ciel à cause de ça. »

« Tu parles. Je parie qu'il t'attend. »

J'aurais voulu en dire plus, beaucoup plus, mais elle n'écoutait plus. Il ne restait d'elle que son sourire.

Les jours se consumèrent comme des cierges, le temps fondit, coula et se figea en caillots hideux et vains.

Deux jours après l'enterrement, je retrouvai le sac à semences d'Anna. Au moins, cela m'occupa. J'allai au cimetière et m'y attardai un peu. Cela aggravait les choses, elles étaient plus vides encore. Si seulement j'avais été plus près d'elle ce jour-là... si seulement j'avais su ce qu'elle faisait... si seulement... si seulement... Je vidai les graines sur la terre nouvellement fouillée et jetai la sacoche loin de moi.

J'aurais voulu haïr Dieu, le bannir de mon univers, mais il ne voulait pas. Je le trouvais plus réel, étrangement plus réel qu'avant. La haine ne venait pas, mais le mépris. Dieu était un crétin, un pauvre type. Il aurait pu sauver Anna, mais rien. Il avait laissé faire la pire absurdité. Cette enfant, cette merveilleuse enfant, cueillie, coupée, retranchée, alors qu'elle n'avait même pas huit ans... et juste au moment où... Saloperie !

Les années de guerre m'arrachèrent à l'East End. La guerre traîna ses bottes sanglantes sur la face du monde jusqu'à la fin de l'accès de folie. Des milliers d'autres enfants étaient morts, des milliers mutilés, sans foyer. La démence guerrière se métamorphosa en folie victorieuse. La Victoire ? Cette nuit-là, je me saoulai à mort. Meilleure manière de s'évader.

On m'avait donné, quelque temps auparavant, un paquet de livres, mais je ne les avais même pas déballés. A quoi bon ? Je me sentais désœuvré, encombré de moi-même. Ces années avaient fatigué mes yeux, mes oreilles. Un signal, un coup d'œil, me suffisaient. Je pris les livres. Ils n'avaient pas l'air bien intéressant. Rien n'avait l'air bien intéressant. Je feuilletai, et ne retins la page qu'en tombant sur le nom de Coleridge. Pour moi, c'est un très grand poète. Je lus :

« J'adhère d'une foi entière à la théorie d'Aristote selon laquelle la poésie, en tant que poésie, est essentiellement idéale, elle échappe et se soustrait à tout ce qui est accidentel, c'est-à-dire... »

Je revins quelques pages en arrière et me remis à lire. Voici qu'entre les lignes réapparaissait le Vieux Woody.

« Le procédé du mécanisme poétique est illustré par Coleridge à l'aide des vers suivants :

C'est ainsi que, des particulières,
Par abstraction, elle monte aux essences,
Qui, déguisées de mille noms et manières,
En nos esprits s'insinuent par les sens.

Les braseros fumeux des gens de la nuit revinrent hanter mon souvenir. Je nous revoyais : le Vieux Woody, Bill le forçat, Lil, Anna et moi. Quelques lignes plus loin, un mot m'accrocha l'œil, le mot « violence ».

« Le jeune poète, dit Gœthe, doit se faire une sorte de violence pour échapper à la banale idée générale. Sans doute est-ce difficile, mais c'est l'art même de la vie. »

Voilà que les choses prenaient un sens, tout se mettait en place. Ce qui se produisait en moi me donnait envie de pleurer et, pour la première fois depuis longtemps, je pleurai. Les nuages semblaient s'écarter. Une idée, doucement, entrait dans ma tête. On n'avait pas coupé court à la vie d'Anna ; loin de là, elle était pleine, parfaitement accomplie.

Le lendemain, je retournai au cimetière. Je mis du temps à retrouver la tombe. Je me souvenais qu'elle était tout au fond, qu'il n'y avait pas de pierre tombale, mais une simple croix de bois avec un nom dessus : Anna. Au bout d'une heure, je la trouvai.

J'étais venu dans une sensation de paix, comme si, le livre refermé, l'histoire avait été celle d'un triomphe. Mais je ne m'attendais pas à ce que je vis. C'était là. La petite croix penchée, comme un peu saoule, sa peinture écaillée, et le nom : Anna.

J'aurais voulu rire, mais ça ne se fait pas dans un cimetière.

Non seulement j'aurais voulu, mais je ne pus m'en empêcher. Je ne pouvais me contenir. Les larmes me coulaient sur les joues.

« D'accord, Mister God, dis-je en riant toujours, je suis convaincu. Bon vieux Mister God. Vous êtes quelquefois un peu lambin, mais pour finir, vous réussissez quand même pas mal. »

La tombe d'Anna était un tapis rutilant de coquelicots. Derrière, il y avait des lupins. Deux arbres se penchaient l'un vers l'autre pour chuchoter, et une famille de souris courait dans l'herbe haute. Anna était bien chez elle. Elle n'aurait pas eu besoin d'une stèle. Que lui apporterait un fourmillion de tonnes de marbre fin ? Je restai encore un peu, puis je lui dis au revoir, pour la première fois depuis cinq ans.

En retournant à la grille principale, je croisai des légions d'angelots, de chérubins de pierre, et de balustrades ornées de perles. Quant à l'ange de quatre mètres, après tant d'années, il essayait toujours de déposer sa gerbe de fleurs de marbre.

« Salut mon pote !, lui fis-je. Tu n'y arriveras pas, tu sais. »

En repoussant la grille, je criai dans le cimetière :

« La réponse est " Au milieu de moi " ! »

Un frisson me parcourut l'échine. J'avais cru entendre sa voix dire :

« De quoi est-ce la réponse, Fynn ? »

« Facile. La question est " Où est Anna ? " »

Je l'avais retrouvée. Au milieu de moi.

Et j'étais sûr que, quelque part, Anna et Mister God riaient aux éclats.

QUAND JE MOURRAI

PAR ANNA

Quand je mourrai,
Je ferai ça moi-même.
Personne à ma place.
Quand je serai prête,
Je dirai
“ Fynn, redresse-moi. ”
Et je rirai
De joie.
Si je retombe,
C'est que je suis morte.

Table